ЛАРИСА
РУБАЛЬСКАЯ

ПРИЗНАНИЕ
В ЛЮБВИ

ЛАРИСА РУБАЛЬСКАЯ

ПРИЗНАНИЕ В ЛЮБВИ

Москва
ЭКСМО
2004

УДК 882
ББК 84(2Рос-Рус)6-5
Р 82

Составитель *А. Корин*

Оформление художника *Е. Ененко*

Рубальская Л. А.

Р 82   Признание в любви. — М.: Изд-во Эксмо, 2004. — 384 с., илл.

ISBN 5-699-05722-6

Ларисе Рубальской повезло. Многие ее стихи стали известны и любимы всей страной. Раньше стихи с такой судьбой называли народными, а теперь золотыми шлягерами. В книге Ларисы Рубальской, которая так и называется — «Признание в любви», читатель встретит не только любимые стихи, ставшие золотыми шлягерами в исполнении самых ярких звезд российской эстрады, но и познакомится с совершенно новыми, до сих пор неизвестными читателю стихами, премьера которых состоится в нашей книге. Есть в нашем сборнике и первая глава из будущей совершенно уникальной кулинарной книги Ларисы Рубальской.

УДК 882
ББК 84(2Рос-Рус)6-5

ISBN 5-699-05722-6

ЗОЛОТОЙ ШЛЯГЕР

Если нет на небе солнца,
Значит, будет день несветел.
Если песня не поется,
Очень грустно жить на свете.
Не подвластно времени и моде
Чудо золотых былых мелодий.

Какие времена, такие песни,
Как хорошо их петь, собравшись вместе,
Они звучат из каждого окна,
Есть песни на любые времена.
Под аккомпанемент струны сердечной
Мы их поем, касаясь темы вечной,
На золото не падает цена,
Есть песни на любые времена.

В море песенном, огромном
Их узнать совсем не сложно —
Раз услышишь, и запомнишь,
А забыть их невозможно.
Не подвластно времени и моде
Чудо золотых былых мелодий.

В электричке, под гитару,
За столом в хороший вечер
Запоем мы шлягер старый,
Золотой, любимый, вечный.
Не подвластно времени и моде
Чудо золотых былых мелодий.

ЗОЛОТЫЕ ШЛЯГЕРЫ ЛАРИСЫ РУБАЛЬСКОЙ

Золотые шлягеры Ларисы Рубальской поют

Алла Пугачева	Марк Рудинштейн
Филипп Киркоров	Тамрико Гвердцители
Лайма Вайкуле	Татьяна Овсиенко
София Ротару	Александр Айвазов
Маша Распутина	Эдуард Ханок
Иосиф Кобзон	Виталий Соломин
Валерий Леонтьев	Катя Лель
Александр Малинин	Владимир Мигуля
Лариса Долина	Катя Семенова
Ирина Аллегрова	Сергей Березин
Лев Лещенко	Александр Добронравов
Ефим Шифрин	Виктор Чайка
Александр Буйнов	Михаил Муромов
Аркадий Укупник	Валентина Толкунова
Клара Новикова	Людмила Успенская
Алена Апина	Анне Вески

Группа «На-на»

Группа «Нескучный сад»

Ансамбль «Верасы»

Ансамбль «Пламя»

Ансамбль «Комбинация»

В кинофильме «Граница. Таежный роман»

В кинофильме «Ретро втроем»

Я тоже артистка

Алла Пугачева

А Я ТАКАЯ ОДНА

Вчера опять на первой полосе
Писали обо мне газеты все,
Что я не так стою,
Что я не то пою,
Я никому покоя не даю.

И вызывает жгучий интерес
Мой часто изменяющийся вес,
И мой репертуар,
А также гонорар, —
Все это нужно знать всем позарез.

Живи спокойно, страна,
Я у тебя всего одна,
Все остальные в тени,
Ну... Извини!

Валяйте, говорите обо мне,
Мне это даже нравится вполне —
Куда и с кем лечу,
Кому за что плачу,
Живу я только так, как я хочу.

10

Я буду петь, завистников дразня
В эпоху эту имени меня!
Не падая в цене!
И вечно на коне!
И пусть побольше пишут обо мне!

Живи спокойно, страна,
Я у тебя всего одна,
Все остальные в тени,
Ну... Извини!

Жизнь летит, листая лица, годы, имена,
Но во все времена
Есть я, одна, всего одна!!!

Алла Пугачева

ДОЧЕНЬКА

У тебя для грусти нет причины,
В зеркала так часто не глядись.
Замирают вслед тебе мужчины,
Если мне не веришь — обернись.

А ты опять вздыхаешь,
В глазах печаль тая.
Какая ты смешная,
Доченька моя,
Как будто что-то знаешь,
Чего не знаю я.
Какая ж молодая ты еще,
Доченька моя.

Мы с тобой уедем к морю летом,
В город, где магнолии в цвету.
Я открою все свои секреты,
Все твои печали отведу.

А ты опять вздыхаешь,
В глазах печаль тая.
Какая ты смешная,
Доченька моя,

Как будто что-то знаешь,
Чего не знаю я
Какая ж молодая ты еще,
Доченька моя.

Посмотри на линии ладони,
Все поймешь, гадалок не зови.
Это ангел, нам не посторонний,
Прочертил там линию любви.

МОЯ ГОЛУБКА

Вечер был безоблачный и звездный,
От луны рассеивалась мгла.
Помнишь, ты пришла в мой дом с мороза
И такой растерянной была.

От вина оттаивали губки,
Мы вели негромкий разговор.
Я тебя весь вечер называл голубкой,
Сколько дней промчалось с этих пор.

Моя голубка, моя голубка,
Согрелась ты в моих руках,
Моя голубка, моя голубка,
И снова скрылась в облаках.
Моя голубка, моя голубка,
С тех пор я словно во хмелю!
Моя голубка, моя голубка,
В тревожных снах тебя ловлю.

Я тебя не спрашивал о прошлом,
Все былое можно зачеркнуть.
Я с тобой был в ласках осторожным,
Чтоб тебя случайно не вспугнуть.

Но любовь — беспомощная шлюпка,
Жизни шторм накрыл ее волной.
Улетела утром ты, моя голубка,
Только боль оставила со мной.

Филипп Киркоров

ДОРОГАЯ

Я виноват во всем и сам себя ругаю,
Но ничего с собою сделать не могу.
Тебя однажды я увидел, дорогая,
И навсегда остановился на бегу.

Дорогая, дорогая,
Не смотри по сторонам.
Никому я, дорогая,
Тебя в жизни не отдам.
Дорогая, дорогая,
Я сведу тебя с ума,
Так что лучше, дорогая,
Ты сдавайся в плен сама.

Твои глаза меня все время избегают,
Я взгляд ловлю, он ускользает в тот же миг.
Но неужели не понятно, дорогая,
Я не из тех, кто к поражениям привык.

Жить не могу я, вечно нервы напрягая.
Сама подумай, что ты делаешь со мной.
Ты дорогая, даже слишком дорогая,
Но я любви твоей добьюсь любой ценой.

Филипп Киркоров

ВИНОВАТ Я, ВИНОВАТ!

Хожу я по лезвию бритвы,
Терплю поражения в битвах,
А ты все качаешь права.
Любимая, ты не права!
А ты говоришь — так и надо,
Моим поражениям рада.
Зачем же такие слова?
Любимая, ты не права.

Виноват я, виноват,
Без суда и следствия.
Ты смени свой строгий взгляд
На другие действия.
В море жизни я — фрегат,
Потерпевший бедствие.
Виноват я, виноват,
Без суда и следствия.

Желтеют акации летом,
Тебе поспешить бы с ответом,
А то нас поссорит молва.
Любимая, ты не права.
Прикинь, без меня разве слаще?
И плачешь ты разве не чаще?
Зачем же ломаешь дрова?
Любимая, ты не права.

Виноват я, виноват,
Без суда и следствия.
Ты смени свой строгий взгляд
На другие действия.
В море жизни я — фрегат,
Потерпевший бедствие.
Виноват я, виноват,
Без суда и следствия.

Шампанское выстрелит пеной.
Обиды забудь и измены,
Пусть кругом идет голова.
Любимая, ты не права.
Под шорох подкравшейся ночи
Ты нежности снова захочешь.
И ухнет ночная сова —
Любимая, ты не права.

Лайма Вайкуле

ТАНГО УТРАЧЕННЫХ ГРЕЗ

Застывший аромат камелий
Заворожил покой ночной.
Кто вы такой и как посмели
Столь вероломным быть со мной?

Вдыхала шепот ваш бессвязный
С круженьем легким головы.
Не вы ль в любви клялись мне разве,
Потом оставили не вы?

Это танго утраченных грез
Я танцую одна.
В тусклом свете невидимых звезд
Ночь плывет, так нежна.
Мне лишь гостьей побыть довелось
На балу у любви.
Только танго утраченных грез
Я танцую, увы!

Нет, вы не будете счастливым.
Но жалость к вам гоню я прочь.
Кто вы такой и как могли вы
Забыть ту огненную ночь?

Обрывки ваших слов прощальных
Разносит эхо в тишине.
Но грезы новых обещаний
Теперь вы дарите не мне.

ПОСЛЕДНИЙ МОСТ

Кто учит птиц дорогу находить,
Лететь в ночи, лететь в ночи по звездам?
И нет сетей им путь загородить
К давно забытым гнездам.

Любовь ли их в дорогу позвала,
В дорогу позвала, где так недолго лето?
Зачем летят из вечного тепла, из вечного тепла? —
Мне не узнать об этом.

Не сжигай последний мост,
Подожди еще немного.
В темноте при свете звезд
Ты найди ко мне дорогу.
Знаю я, что так непрост
Путь к забытому порогу.
Не сжигай последний мост,
Отыщи ко мне дорогу.
Не сжигай последний мост.
Не сжигай последний мост.

В моих краях такие холода.
Одни снега и ветры завывают.
А ты летишь неведомо куда,
Где дни не остывают.

Но теплые края не для тебя,
Они не для тебя, и, если обернешься,
Поймешь, что жить не можешь, не любя,
Не можешь, не любя,
И в холода вернешься.

Маша Распутина

ДВОЙНАЯ ЖИЗНЬ

Как долго я была одна…
Жила, забытая судьбою.
Сюжет несбыточного сна —
Вдруг в жизнь мою ворвались двое.

И я хожу от дома к дому,
От одного хожу к другому,
Сжигают сердце два пожара,
Я их никак не потушу.
И я хожу от дома к дому.
От одного хожу к другому.
Я так боюсь небесной кары,
Грешу, и каюсь, и грешу!!!

Всю ночь шел дождь, к утру затих,
Рассвет подкрался осторожно.
А то, что я люблю двоих,
Понять, наверно, невозможно.

И я хожу от дома к дому,
От одного хожу к другому,
Сжигают сердце два пожара,
Я их никак не потушу.
И я хожу от дома к дому.

От одного хожу к другому.
Я так боюсь небесной кары,
Грешу, и каюсь, и грешу!!!

Две радости, две страшных лжи,
Душа, разбитая на части.
Моя судьба — двойная жизнь,
Двойная боль, двойное счастье.

Иосиф Кобзон

ВЫ НИКОМУ ДАВНО НЕ ВЕРИТЕ

Не прячьте за веер раскрытый
Свою потаенную грусть.
А ноток надменно-сердитых
Я в ваших словах не боюсь.
Мне ваше притворство понятно,
Вы верили лживым словам,
И что-то ушло безвозвратно,
Я даже сочувствую вам.

Вы никому давно не верите,
И я, конечно, в их числе.
Колечко вы на пальце вертите,
Дрожит морщинка на челе.
Вы никому давно не верите,
Ошибок хватит вам вполне.
Но то, как вы колечко вертите,
Надежду все же дарит мне.

Оркестр репетировал вальсы,
И скрипки сбивались слегка.
Вы мне предложили остаться,
При этом взглянув свысока.
Я знал — вы боитесь отказа.

И выдали вас пустяки —
Вы вдруг опрокинули вазу
Неловким движеньем руки.

Вы никому давно не верите,
И я, конечно, в их числе.
Колечко вы на пальце вертите,
Дрожит морщинка на челе.
Вы никому давно не верите,
Ошибок хватит вам вполне.
Но то, как вы колечко вертите,
Надежду все же дарит мне.

Любовь наша, равная ночи,
Забьется в раскрытом окне.
«Я буду вас ждать, между прочим», —
Надменно вы скажете мне.
Вы вспомнили все, что забыто,
И что-то вдруг ожило в вас.
Не прячьте за веер раскрытый
Счастливых, испуганных глаз.

ПОСТАРАЙТЕСЬ ЗАБЫТЬ

Я прошлою зимою так продрогла
Без друга, без любви и без тепла.
Я думала, что вы ко мне надолго,
Казалось мне, я вас всю жизнь ждала.

Вы были так решительно несмелы,
Вы были так пленительно смелы.
Я ничего сказать вам не посмела,
Когда вы так стремительно ушли.

Постарайтесь забыть,
Как в камине дрова догорали,
Как закутала ночь в покрывало
                                                колдунья-метель.
Постарайтесь забыть,
Что шептали вы, как целовали,
Как я верила вам и какой была смятой постель.

Ни недругом не стали вы, ни другом,
Я вас искать под утро не помчусь,
Вы мой недуг. Я мучаюсь недугом
И, может быть, не скоро излечусь.

Но я и вам покой не обещаю
И знаю, что вы вспомните не раз,
Как, согревая ночь, дрова трещали,
Но это вам неведомо сейчас.

Валерий Леонтьев

ОХОТНИЦА ДИАНА

Ночь упала на землю туманом,
День закрыл свою дверь на засов.
На охоту выходит Диана —
Дочь таинственных диких лесов.

Расставляет силки и капканы,
Попадают в них разные львы.
Ничего ты не знаешь, Диана,
О моей безнадежной любви.

Диана, Диана,
И я, как ни странно,
Попал в твои сети, Диана.
Не первый, не третий,
Полны твои сети,
И это печально, Диана.
Диана, Диана,
Кровавая рана
В моем бедном сердце сочится.
Диана, Диана,
Ты непостоянна.
Могло же такое случиться.

Валерий Леонтьев

Взгляд Дианы опасней капкана,
Он стреляет верней, чем ружье.
Ты не знаешь, богиня Диана,
Что поранила сердце мое.

Все твои оголтелые стрелы
У меня застревают в груди.
Но охота — не женское дело,
Ты хоть раз безоружной приди.

Диана, Диана,
И я, как ни странно,
Попал в твои сети, Диана.
Не первый, не третий,
Полны твои сети,
И это печально, Диана.
Диана, Диана,
Кровавая рана
В моем бедном сердце сочится.
Диана, Диана,
Ты непостоянна.
Могло же такое случиться.

А сегодня случилось вдруг что-то,
И сказала Диана, зевнув:
«На охоту идти неохота,
Я, пожалуй, чуть-чуть отдохну».

Телевизор подвинув к дивану
И уткнувшись в букетик цветов,
Ты рыдала, богиня Диана,
Глядя фильм про чужую любовь.

Александр Малинин

НАПРАСНЫЕ СЛОВА

Плесните колдовства
В хрустальный мрак бокала.
В расплавленных свечах
Мерцают зеркала,
Напрасные слова —
Я выдохну устало.
Уже погас очаг, я новый не зажгла.

Напрасные слова —
Виньетка ложной сути.
Напрасные слова
Нетрудно говорю.
Напрасные слова —
Уж вы не обессудьте.
Напрасные слова.
Я скоро догорю.

У вашего крыльца
Не вздрогнет колокольчик,
Не спутает следов
Мой торопливый шаг.
Вы первый миг конца

Александр Малинин

Понять мне не позвольте,
Судьбу напрасных слов
Не торопясь решать.

Придумайте сюжет
О нежности и лете,
Где смятая трава
И пламя васильков.
Рассыпанным драже
Закатятся в столетье
Напрасные слова,
Напрасная любовь.

Лариса Долина

ТЫ ИЗМЕНЯЕШЬ МНЕ С ЖЕНОЙ

Я упрекать тебя не буду,
А вот не плакать не проси.
Приходишь ты ко мне по будням
И вечно смотришь на часы.

И ни остаться, ни расстаться
Никак не можешь ты решить.
А мне уже давно за двадцать,
И мне самой пора спешить.

Ты изменяешь мне с женой,
Ты изменяешь ей со мной.
Ты и женой, и мной любим.
Ты изменяешь нам двоим.

Прощаясь, смотришь долгим взглядом,
Рука задержится в руке.
А я следы губной помады
Тебе оставлю на щеке.

Придешь домой, жена заметит,
И ты решишь, что это месть.
А я хочу, чтоб все на свете
Узнали, что я тоже есть.

38

Ты изменяешь мне с женой,
Ты изменяешь ей со мной.
Ты и женой, и мной любим.
Ты изменяешь нам двоим.

Мне сон приснился невозможный.
И ты, явившись в странном сне,
Промолвил вдруг неосторожно,
Что навсегда пришел ко мне.

Но был недолгим сон тот чудный,
Тебя опять ждала жена.
Опять с тобой я буду в будни
И буду в праздники одна.

ТЫ ПОЛЮБИЛ ДРУГУЮ ЖЕНЩИНУ

Ты полюбил другую женщину —
Такие горькие дела.
Что в нашей жизни будет трещина,
Я совершенно не ждала.
И мне не верится, не плачется,
Я даже злиться не могу.
За что относится захватчица
Ко мне, как будто бы к врагу?

Ведь я звоню совсем не часто вам
И не затем, чтобы отбить.
Я даже рада, что вы счастливы.
Мне просто трудно разлюбить.
Как в нашей жизни все намешано!
И справедливо не всегда,
Ты полюбил другую женщину,
А мне от этого беда.

Помогут годы или месяцы.
А может, я надеюсь зря.
«Да он вернется, перебесится», —
Мне все подруги говорят.

40

Прости мне, небо, душу грешную,
Видала я в коротком сне,
Что, разлюбив другую женщину,
Ты возвращаешься ко мне.

Ирина Аллегрова

Ирина Аллегрова

УГОНЩИЦА

Если спросят меня, где взяла
Я такого мальчишку сладкого,
Я отвечу, что угнала,
Как чужую машину-девятку я.

Угнала у всех на виду,
Так открыто, что обалдели все.
Ни за что, ты имей в виду,
Не верну тебя бывшей владелице.

Я ждала тебя, так ждала.
Ты мечтой был моей хрустальною.
Угнала тебя, угнала.
Ну и что же тут криминального!

Все девчонки теперь за спиной
Называют меня угонщицей.
Им завидно, что ты со мной
И любовь наша скоро не кончится.

А подруги пускай тормозят
И вернуть тебя не стараются,
Потому что твои глаза
Только мне одной улыбаются.

СКВОЗНЯКИ

Что-то изменилось в отношеньях,
Все не так, как было до сих пор.
Ты уже готов принять решенье
И готовишь важный разговор.

Говоришь, что стал мой взгляд рассеян,
Что звонит нам кто-то и молчит
И что в странных приступах веселья
У меня счастливый вид.

Но не было измен,
Все это пустяки,
Не стоит принимать решений резких.
Не ветер перемен,
А просто сквозняки
Колышут в нашем доме занавески.

Просто чей-то взгляд неосторожно
Задержался медленно на мне.
Грустный голос ноткою тревожной
Отозвался где-то в глубине.

44

Сквозняки мне в сердце залетели,
И озноб покоя не дает.
Но простуду лечат две недели,
Это значит, скоро все пройдет.

КЛЮЧИ

Возвращаюсь я на забытый круг,
Как в далеком уже былом.
Я беру ключи от квартир подруг,
Чтоб с тобою побыть вдвоем.

Ты погасишь свет, и подарят боль
Рук безумных твоих тиски.
А потом опять ты уйдешь домой,
И заплачу я от тоски.

Не стараюсь я утаить от всех
То, чем мысли мои полны.
Совершаю я свой безгрешный грех
И не чувствую в том вины.

Ты же портишь жизнь — говорят вокруг,
Понимаю я все сама.
Но беру ключи от квартир подруг
И от счастья схожу с ума.

ТРАНЗИТ

Ты говоришь — расставаться полезно…
Вот я и ушла.
В город чужой ненадолго, проездом
Судьба занесла.

Осень покинув, в тревожную зиму
Поезд влетел.
Мне расставаться невыносимо,
Ты так хотел.

Я так просила: удержи!
Ты слова не сказал.
Я твой транзитный пассажир,
Ты мой транзитный зал.

Ты говоришь — расставаться полезно…
Так и сбылось.
В жизни твоей побывала проездом,
Поезд унес.

Там без меня догорают осины,
Желтая грусть.
Мне расставаться невыносимо,
Я не вернусь.

47

ТЫ, ЛЮБИМЫЙ, У МЕНЯ НЕ ПЕРВЫЙ

Ты, любимый, у меня не первый.
Сколько было, счет я не вела.
Прошлое взлетело птицей серой,
Вздрогнули прощально два крыла.

Вычеркнул ты прошлое из жизни,
Спутал даты все и имена,
А в бокалах золотились брызги
Крепкого вечернего вина.

Вдруг мир качнулся, перевернулся,
Потом взорвался, потом затих.
А я-то, дура, всегда считала,
Что так бывает лишь у других!

Я боюсь, что это только снится,
Грешных мыслей раскаленный бред,
И к утру растает, растворится
Голубым дымком от сигарет.

Как гудят натянутые нервы.
Прикоснись ко мне и успокой.
Ты, любимый, у меня не первый,
Ты один, единственный такой.

48

Вино качалось на дне бокала,
Но я пьянела не от вина.
А я-то, дура, всегда считала,
Что так и буду весь век одна.

Лев Лещенко

СЛУЧАЙНАЯ НОЧЬ

Был вечер, к десяти,
И не было такси.
И страшная гроза,
И ты, промокшая насквозь.
Спросил я: «Подвезти?»
Сказала: «Подвези»…
И встретились глаза,
И все внутри оборвалось.

Случайная ночь,
Сирени дурман.
Случайная ночь, наш случайный роман.
Запутавший нас,
Окутавший нас
Безумный ночной ураган.

Откуда ты взялась?
Влетела, ворвалась.
Дотронулась рукой
И сразу стала мне родной.
Меня на помощь звал
И тайны открывал
Негромкий голос твой
И поздний разговор ночной.

Случайная ночь,
Сирени дурман.
Случайная ночь, наш случайный роман.
Запутавший нас,
Окутавший нас
Безумный ночной ураган.

К утру часы спешат,
Тебе пора бежать.
И лужи отражают
Уходящую тебя.
Дождь катится с плаща,
Любимая, прощай.
Прощай, моя чужая
И случайная судьба.

БЫЛИ ЮНЫМИ И СЧАСТЛИВЫМИ

Было нам когда-то лет
Восемнадцать-девятнадцать.
Разливалось солнце вслед,
И хотелось целоваться.
Вечерами саксофон
Раскалялся весь от страсти,
Тот далекий, чудный сон
Назывался просто — счастье.

Были юными и счастливыми
В незапамятном том году,
Были девушки все красивыми
И черемуха вся в цвету.

Во дворе у нас жила
То ли Нинка, то ли Милка.
Всех она с ума свела,
Все в нее влюбились пылко.
И рыдала про любовь
Граммофонная пластинка,
И гнала по жилам кровь
То ли Милка, то ли Нинка.

52

Были юными и счастливыми
В незапамятном том году,
Были девушки все красивыми
И черемуха вся в цвету.

Попивали мы пивко
И шалели от свободы,
Были где-то далеко
Наши будущие годы.
Что там будет? А пока
Мы все были молодыми.
Кстати, вышла за Витька
Та, чье я не помню имя.

*Лев Лещенко
и Владимир Винокур*

ДВУГЛАВЫЙ ОРЕЛ

Лева: Пройдись-ка, Вова, туда-сюда,
Да ты и правда суперзвезда.
Ты парень стройный, и так поешь,
Кого захочешь, с ума сведешь!

Вова: Но так уж вышло в моей судьбе,
Я подражаю всю жизнь тебе.
И мне приносят твои цветы,
Звезда же, Лева, конечно, ты!

По-братски с тобой мы разделим престол,
За жизнь мы успели сродниться.
Мы просто какой-то двуглавый орел,
Красивая, умная птица.

Пускай не вместе мы смотрим сны,
С тобой друг другу всю жизнь верны.
Мы друг за друга всегда горой,
Но все ж ты первый, а я второй.

Ты не умеешь, мой друг, считать,
Нам вечно в небе вдвоем летать.
Вдвоем достигнем мы высоты,
Вторым я буду, а первым ты.

Ефим Шифрин

ЭТА ЮЖНАЯ НОЧЬ

Перекатился вечер в ночь довольно плавно.
Луна мерцала в невесомых облаках.
А я забыл тебе сказать о самом главном,
И мы болтали до утра о пустяках.

К утру, устав, ты на плече моем дремала,
И сон неведомый ты видела одна.
Мы по глотку с тобой отпили из бокала,
А надо было осушить его до дна.

Эта южная ночь,
Блики звезд серебристо-хрустальных.
Эта южная ночь,
Жарких пряных цветов аромат.
Эта южная ночь…
В том, что ближе мы так и не стали,
Эта южная ночь виновата. И я виноват.

Пустой бокал разбить бы вдребезги на счастье,
Но мы с тобою удержались на краю.
И разделила наши жизни ночь на части,
Теперь ты спишь, а я один тихонько пью.

Тебя забуду я, а ты меня подавно,
И ветер времени остудит весь наш пыл.
Ведь я забыл тебе сказать о самом главном,
А может, даже хорошо, что я забыл.

Клара Новикова

У БЕНИНОЙ МАМЫ...

Как-то в день весенний
Встретила я Беню.
Беня шел со скрипочкой в руках.
В небе в три накала
Солнышко сверкало,
Отражаясь в Бениных очках.

Встретились два взгляда,
Объяснять не надо,
Он меня позвал, конечно, в загс.
Но не может Беня
Без благословенья,
Тут и начинается рассказ.

У Бениной мамы
Характер упрямый,
Не дай бог такую свекровь!
Мне Бенина мама
Устроила драму,
Сгубила большую любовь!

Мама сразу в слезы:
Вот у нашей Розы,
Там невестка — есть на что взглянуть.

Что мы людям скажем?
Ведь у этой даже
Не на чем бюстгальтер застегнуть!

От расстройства Беня
Был чернее тени,
Мамка изгибала бровь дугой.
Вы поймите сами:
В дом к Бениной маме
Больше я, конечно, ни ногой!..

ЭТО СЛАДКОЕ СЛОВО — СВОБОДА

Я столько лет с тобой в недружном хоре пела,
И все сносила, и все терпела,
Твое вранье, всегда понятное до боли.
Все. Надоело. Хочу я на волю.
Я отпускаю поводок, живи как хочешь,
Сама я знаю, как мне тратить ночи.

Это сладкое слово — свобода,
Без скандала. Без развода.
Брошусь в это звенящее лето
Без печали, забот и тревог.
Это сладкое слово — свобода,
Я танцую с небосводом,
На призывный гудок парохода
Я лечу, как на свет мотылек.

Хочу успеть я то, что раньше не успела.
Душа, как вишня, к любви поспела.
И я готова к приключеньям и романам.
Пускай недолгим, быть может, к обманным.
Я отпускаю поводок, живи как хочешь.
Сама я знаю, как мне тратить ночи.

Александр Буйнов

ОН ЖИЛ В ВЫСОТКЕ

Он жил в высотке на последнем этаже,
Он мне плеснул глоток шампанского в фужер.
На белых стенах кабинета
Портреты женщин неодетых,
И я сама уже почти что в неглиже.

Ну что он смотрит сверху вниз,
Исполню я его каприз,
Он птица важная — я вижу по полету.
А я не то что влюблена,
И от шампанского пьяна,
А просто так — сопротивляться неохота.

Печальный опыт я имела столько раз!
Вот на часы он должен посмотреть сейчас.
Зевнет и скажет: — Время — деньги,
Пойдем, хорош глазеть на стены, —
И холодком плеснет из светло-серых глаз.

Но что случилось на последнем этаже?
Он так запутал мной придуманный сюжет,
И поняла я, что пропала,
В высотный плен навек попала,
И сам он тоже не торопится уже.

Уже не смотрит сверху вниз,
Уже в глазах погас каприз,
И загорелось очень ласковое что-то,
А я не то что влюблена,
А просто так давно одна,
Что мне совсем сопротивляться неохота.

ЛЮБИ МЕНЯ, КАК Я ТЕБЯ

Когда-то в годы нэпа,
Когда-то в моду степа
И черно-бурых лис через плечо
Встречались, расставались,
На карточки снимались,
Слова любви писали горячо.

Малиновый бантик
И бантик зеленый,
Оранжевый кантик
И двое влюбленных,
Как колокольчики звенят
Слова далеких дней:
Люби меня, как я тебя,
И помни обо мне.

Все было по-другому,
Наивные альбомы,
Цветущие герани на окне.
Летящий чей-то почерк,
И двух коротких строчек
Хватало быть счастливыми вполне.

62

Малиновый бантик
И бантик зеленый,
Оранжевый кантик
И двое влюбленных,
Как колокольчики звенят
Слова далеких дней:
Люби меня, как я тебя,
И помни обо мне.

Смешно, но все же грустно,
Что мы скрываем чувства
И этих странных слов не говорим.
Я поливаю фикус,
Прошу тебя, откликнись
И пару строк на память подари.

КОПЕНГАГЕН

Мне в интересах у тебя не уместиться.
Твоих запросов что-то толком не пойму.
Ты так мечтаешь о вещах из-за границы,
А где тебе такие вещи я возьму?

Ну нету этого у нас в универмаге,
Я ж не начальник и совсем тут ни при чем.
А ты возьми себе билет на Копенгаген,
Там поживешь — сама узнаешь что почем.

Опять в слезах ты возвращаешься с работы,
Там кто-то снова в новой кофточке пришел.
А ты в своей лет пять назад снялась на фото.
Но мне с тобой в любой одежде хорошо.

Ну нету этого у нас в универмаге,
Я ж не начальник и совсем тут ни при чем.
А ты возьми себе билет на Копенгаген,
Там поживешь — сама узнаешь что почем.

Ты все твердишь, что за границей жизнь другая,
Я Копенгаген сам на карточке видал.
А там русалочка сидит вообще нагая,
Ты б за такое мне устроила скандал.

Смотри-ка, солнце в нашей форточке забилось,
И сердце падает в предчувствии весны.
Ты на рассвете задремала и забылась
И заграничные, наверно, видишь сны.

САПЕР

Сегодня не до смеха мне,
Тут случай непростой.
Ты на меня наехала
Своею красотой.
Увидел ноги длинные
И синий взгляд в упор…
Ой, жизнь, ты поле минное,
А я на нем сапер.

Я по полю, я по полю, я по полю наугад.
Точит болью, точит болью, точит болью
синий взгляд.
Мне на волю, мне на волю, мне на волю бы назад,
Я по полю, я по полю, я по полю наугад.

Прикольными словечками
Вела ты разговор.
С душою покалеченной
Теперь живет сапер.
Любовь — болото с тиною,
Затянет — не спасусь.
Ой, жизнь, ты поле минное,
И я на нем взорвусь.

66

Я по полю, я по полю, я по полю наугад.
Точит болью, точит болью, точит болью
синий взгляд.
Мне на волю, мне на волю, мне на волю бы назад,
Я по полю, я по полю, я по полю наугад.

Ты — как кино с помехами,
С тобой покоя нет.
Зачем, скажи, наехала,
Затмила белый свет?
Тебя на край подвину я,
А может, не смогу.
Ой, жизнь, ты поле минное,
Я по нему бегу.

Аркадий Укупник

МАДМУАЗЕЛЬ

Ты так мечтаешь жить богато и красиво,
На завтрак крабы, а на ужин бланманже.
А я сегодня был с тобой всю ночь счастливым.
К чему Диор, когда такое неглиже?

Ты говорила по-французски так свободно.
Ты мне шептала: «Се ля ви, пардон, мерси»…
Но мне свозить тебя в Париж не по доходам,
Коплю я деньги, чтоб сказать, поймав такси:

«Мадмуазель, карета у подъезда!
Мадмуазель, поехали со мной.
А ваших глаз неведомая бездна
Меня влечет своею глубиной.
Мадмуазель, позвольте вашу руку,
Вы так тонки, вы юная газель.
Я даже час не выдержу разлуку,
Не уходите в ночь, мадмуазель!»

Ты что Людовиком мне голову морочишь?
Вы разминулись с ним немножечко в веках,
И королем твоим был я сегодня ночью,
И всех людовиков оставил в дураках.

68

Закрой глаза, давай взлетим с тобой на небо,
Два нежных ангела средь белых облаков…
Я никогда еще таким счастливым не был,
Я для тебя на все, любовь моя, готов.

Алена Апина

ОНА ЛЮБИЛА ВИШНИ

Она любила вишни,
А я ее любил.
Но это было лишним,
Я ей не нужен был.

Она косила взгляды
Совсем не на меня.
Отравлен этим ядом,
Я жил, судьбу кляня.

А время летнее,
Погода лунная,
И безответная
Любовь безумная,
Тарелка, полная
Вишневых косточек,
И песня модная
Из летних форточек.

Ложилась ночь на крыши,
Катился диск луны.
Любительница вишни
С другим смотрела сны.

Был этим грустным летом
Я сам себе не рад.
Один встречать рассветы
Ходил в вишневый сад.

Ложился снег неслышно
На вишни в декабре.
И ждали лета вишни
В блестящем серебре.

И в зимнем настроенье
Я тоже лета жду,
Вишневое цветенье
Бывает раз в году.

САПОЖНИК ФИМКА

Фимка парень был кудрявый,
Починить сапог дырявый
Было Фимке парой пустяков.
Он сапожник был умелый,
И любил он это дело,
Но была еще сильней любовь.
Только музыку услышит,
Подлетал он выше крыши,
Рисовал ногами кренделя.
Фимка забывал про гвозди,
А в глазах горели звезды,
И качалась пьяная земля.

Проходили люди мимо
И кричали: — Браво, Фима!
Ой, ты, Фима жук, ты, Фима, бог!
Ты же нас лишил покоя,
Выкаблучивать такое!
Фимка, у тебя ж не десять ног.

Полюбил наш Фимка Дору,
Третья дверь по коридору,
И крутые кудри по плечам.

Он чинил ее сапожки
И вздыхал: — Ах, Дора, крошка!
Я о Вас скучаю по ночам.
Дорка глазки опускала,
А в душе его ласкала,
Кто-то тут магнитофон включил.
Танцевал с ней Фимка танец,
На щеках горел румянец,
К сердцу Дорки он нашел ключи.

Проходили люди мимо,
И кричали: — Браво, Фима!
Ой, ты, Фима жук, ты, Фима, бог!
Ты же нас лишил покоя,
Выкаблучивать такое!
Фимка, у тебя ж не десять ног.

А потом родились дети.
Накормить, обуть, одеть их —
Молотком ударишь сколько раз!
Фимка, стоп! — жена сказала,
Мужа к стулу привязала,
И сердились вишни жгучих глаз.
Фимка был для Доры нежным,
Забивать стал гвоздь прилежно,
Молотком по пальцу он попал,
Где-то вдруг запели песню,
Он вскочил со стулом вместе
И любимый танец танцевал.

Анне Вески

ПРОШЛОГОДНИЙ СНЕГ

Я растеряна немножко,
Виноватых в этом нет.
На заснеженной дорожке
Прошлогодний тает снег.
Ты ушел, но след оставил,
Что-то ты мне не простил.
Прошлогодний снег растаял,
Вместе с ним твой след простыл.

Мне не жаль, не жаль прошлогоднего снега,
Год пройдет, и опять наметет.
Жаль, что след растаял, растаял бесследно
И уже никуда не ведет.
Ты любовь, любовь перепрыгнул с разбега,
Без оглядки в весну убежал.
Мне не жаль, не жаль прошлогоднего снега,
А любви растаявшей жаль.

Я с весною не согласна,
Для чего цвести садам?
Я любовь ищу напрасно
По растаявшим следам.

74

Я весну не торопила,
Да не скрыться от тепла.
Утром солнце растопило
След, который берегла.

ПО ВОЛЕ ВОЛН...

С тобой ко мне вернулись весны,
С тобой ожил мой давний сон.
Ты мне сказал: «Забудем весла
И поплывем по воле волн»...

По воле волн, по воле волн
И прежней жизни берега
По воле волн, по воле волн
Уже оставила река.
По воле волн, по воле волн
Совсем иные острова.
По воле волн, по воле волн
У жизни новая глава.

Судьбою лодку развернуло,
Качнулось время за бортом.
Я в этот раз тебе вернула
Все то, что ты вернешь потом.

По воле волн, по воле волн
И прежней жизни берега
По воле волн, по воле волн
Уже оставила река.
По воле волн, по воле волн

Совсем иные острова.
По воле волн, по воле волн
У жизни новая глава.

Нас встречный ветер не печалит,
Попутный ветер к нам спешит.
К какой нам пристани причалить,
За нас любовь сама решит.

Людмила Успенская

ОГОНЬ

За крышей месяц притаился, словно вор,
Хотел подслушать наш полночный разговор.
А мы с тобой не говорили ни о чем,
Мы целовались и дышали горячо.

И, нарушая траекторию слегка,
Плыла твоя неосторожная рука,
И замирала вдруг, сводя меня с ума,
Качая месяц, и деревья, и дома.

И жар огня
Сжигал меня,
Ведь на земле никто любовь не отменял!

Ты, как оркестром, дирижировала мной,
А я заложником был музыки ночной,
А эта ночь накалом в тысячу свечей
Перечеркнула прежних тысячу ночей.

Разведчик-месяц не разведал наш секрет,
И закатился тихо в медленный рассвет,
А то, что было между мною и тобой,
В обычной жизни называется судьбой.

СЛУЧАЙНАЯ СВЯЗЬ

В той компании случайной
Были мы немного пьяны
И, от всех закрывшись в ванной,
Целовались долго, тайно.
А потом так получилось,
Что любви гремучим ядом
Мы с тобою отравились
И проснулись утром рядом.

Случайные связи
Обычно непрочны,
Случайные связи
Обычно на раз.
А нас этой ночью,
Случайною ночью
Связала навечно
Случайная связь.

Без обид и обещаний,
Без вопросов и ответов
Просто рядом мы лежали
В бликах позднего рассвета.

79

Без упреков и без фальши,
Все забыв о жизни прежней.
А что будет с нами дальше,
Знал лишь ангел пролетевший.

Валентина Толкунова

ВЕРНУЛАСЬ ГРУСТЬ

Снег весенний, потемневший —
Солнце к снегу прикоснулось.
Все казалось отболевшим.
Но вернулась боль, вернулась.

Мы с тобой уже не в ссоре,
Нет ни встреч и ни прощаний.
В город маленький у моря
Прилетит воспоминанье.

Не в сезон — в начале марта
Я приду на пляж забытый,
Прошлогодние приметы
Я у моря поищу —
Прошлогодние свиданья,
Прошлогодние надежды,
Прошлогодние печали
Вспоминаю и грущу.

Зимовала, горевала,
Приучила сердце к грусти,
Но не думала, не знала,
Что вернется, не отпустит.

Здесь, у моря, вспоминаю
Про прошедшее тепло
И с надеждой понимаю,
Что не все еще прошло.

Михаил Муромов

СТРАННАЯ ЖЕНЩИНА

Желтых огней горсть
В ночь кем-то брошена.
Я твой ночной гость.
Гость твой непрошеный.
Что ж так грустит твой взгляд?
В голосе трещина.
Про тебя говорят —
Странная женщина.

Странная женщина, странная,
Схожа ты с птицею раненой,
Грустная, крылья сложившая,
Радость полета забывшая.
Кем для тебя в жизни стану я?
Странная женщина, странная.

Я не прошу простить,
Ты ж промолчишь в ответ.
Я не хочу гостить
И уходить в рассвет.
В грустных глазах ловлю
Искорки радости.
Я так давно люблю
Все твои странности.

83

Виктор Чайка

КУДА ТЫ ДЕНЕШЬСЯ!

Вошла, стряхнула с шубы снег,
Прикинута по-модному.
Блеснули из-под синих век
Глаза твои холодные.
Прошла, коленками дразня,
Мол, делай ставки крупные.
Уже бывали у меня
Такие недоступные.

    Куда ты денешься,
    Когда разденешься,
    Когда согреешься в моих руках.
    В словах заблудишься,
    Потом забудешься,
    Потом окажешься на облаках.

Отпив глоточек коньяка,
Пускаешь дым колечками
И намекаешь свысока,
Что мне ловить тут нечего.
Куда нам, маленьким, до вас —
Величество, Высочество.
Но в уголках надменных глаз
Я видел одиночество.

Куда ты денешься,
Когда разденешься,
Когда согреешься в моих руках.
В словах заблудишься,
Потом забудешься,
Потом окажешься на облаках.

Учти, я опытный игрок,
Не знавший поражения.
Сейчас пойдет по нервам ток
Большого напряжения.
И ты отпустишь тормоза,
И вся надменность кончится.
Ведь можно то, чего нельзя,
Когда уж очень хочется.

Александр Добронравов

БЕЗНАДЕГА

Ни дороги, ни пути, ни проехать, ни пройти,
Беспросветный дождь стоит стеной.
Сговорились все вокруг, безнадеги замкнут круг,
А удача ходит стороной.

Ворон, черное крыло,
Сделай так, чтоб мне везло,
Наколдуй везенье, напророчь.
От невзгод меня спаси,
Безнадегу унеси,
Прогони мои печали прочь!

Безнадега, безнадега, безнадега,
От тебя к надежде долгая дорога.
Запрягайте золотую колесницу,
Я поеду в дальний край за синей птицей.

Ворон, черное крыло,
Сделай так, чтоб мне везло,
Наколдуй везенье, напророчь.
От невзгод меня спаси,
Безнадегу унеси,
Прогони мои печали прочь!

86

Знаю я, как дважды два, безнадега не права.
Ведь в любой печали есть предел.
Без стеблей цветы срывать, за собой мосты сжигать
Никогда я, в общем, не хотел.

Ворон, черное крыло,
Сделай так, чтоб мне везло,
Наколдуй везенье, напророчь.
От невзгод меня спаси,
Безнадегу унеси,
Прогони мои печали прочь!

Сергей Березин

ПЕРЕВЕДИ ЧАСЫ НАЗАД

Переведи часы назад
На пять минут, на день, на год.
Переведи часы назад,
Пусть время нам любовь вернет.

Январский снег засыпет сад,
Начертит пальмы на окне,
Переведи часы назад,
Как в первый раз, приди ко мне.

Но стрелки, но стрелки,
Зови не зови,
Но стрелки, но стрелки
По кругу несутся,
Мы что-то забыли в прошедшей любви,
А ей никогда, никогда не вернуться.

Переведи часы назад,
На время тех обид и ссор,
Переведи часы назад,
На наш последний разговор.

На циферблате наугад
Застынут стрелки в прежних днях,
Переведи часы назад,
Как в первый раз, прости меня.

Катя Семенова

А ПОНИ — ТОЖЕ КОНИ!

В зоопарке летом жарко,
Там подстрижен ровный луг,
Скачут пони в зоопарке
День за днем, за кругом круг.

В разукрашенной попоне
И с бесстрашием в груди
Там один печальный пони
Вечно скачет впереди.

А пони — тоже кони,
И он грустит в загоне.
Ему б в лихой погоне
Кого-нибудь спасти,
Чтоб друг его счастливый
Потом погладил гриву,
Все это снится пони,
И пони грустит.

Друг-юннат к нему приходит
Покормить и причесать.
Но его не надо вроде
От разбойников спасать.

90

Он всегда приносит пончик —
Видно, любит от души.
Пони пончиков не хочет,
Хочет подвиг совершить.

А пони — тоже кони,
И он грустит в загоне.
Ему б в лихой погоне
Кого-нибудь спасти,
Чтоб друг его счастливый
Потом погладил гриву,
Все это снится пони,
И пони грустит.

А красавица пантера
Третий день не ест, не пьет,
Из соседнего вольера
Пони знаки подает.
Удивив его немножко,
Чувства лучшие задела.
Ведь пантера — тоже кошка,
В нем мустанга разглядела.

Владимир Мигуля

СОКОЛЬНИКИ

Не забыть нашей юности адрес.
С ней расставшись, мы стали взрослей.
И бродить наша юность осталась
В старом парке, вдоль тихих аллей.

Нас все дальше уводит дорога,
Школьных лет не вернуть, не забыть.
Но хочу я сегодня немного
По былому с тобой побродить.

Пойдем гулять в Сокольники, Сокольники,
Сокольники,
Там снегом запорошены деревьев кружева.
А мы с тобой не школьники,
А времени невольники.
Но пусть звучат в Сокольниках
Забытые слова.

Каждый жизнью своей огорожен,
Всем хватает забот и тревог.
И порою нам кажется сложно
Перейти дней ушедших порог.

92

А всего-то и надо на вечер
Дать делам и заботам отбой,
И назначить в Сокольниках встречу,
Встречу с Юностью. Встречу с тобой.

Катя Лель

МОЙ ЗОЛОТОЙ

Октябрь ветреный, пора дождливая.
Был поворот в судьбе такой крутой.
Тебя я встретила, была счастливая,
Но осень кончилась, мой золотой.

Мой золотой, счастье было, да сплыло,
Мой золотой, теплой осенью той.
Мой золотой, я тебя разлюбила,
Ты не ругай меня, мой золотой.

Была история такой загадочной,
Но оказалась вдруг такой простой.
Я долго думала — ты принц мой сказочный,
Но ошибалась я, мой золотой.

Мой золотой, счастье было, да сплыло,
Мой золотой, теплой осенью той.
Мой золотой, я тебя разлюбила,
Ты не ругай меня, мой золотой.

Я проведу черту под жизнью прежнею,
И ты останешься за той чертой.
Уйдут из памяти все чувства нежные
И вместе с ними ты, мой золотой.

Виталий Соломин

ЗОЛОТЫЕ ШАРЫ

Я все время вспоминаю
Наши старые дворы,
Где под осень расцветали
Золотые шары.
В палисадниках горели
Желтым радостным огнем.
Плыли тихие недели,
Так и жили день за днем.

Золотые шары — это детства дворы,
Золотые шары той далекой поры.
Золотые шары, отгорели костры,
Золотые костры той далекой поры.

Возвращались все с работы,
Был не нужен телефон.
Были общие заботы
И один патефон.
Танго старое звучало,
Танцевали, кто как мог.
От двора легло начало
Любви, судьбы, дорог.

Золотые шары — это детства дворы,
Золотые шары той далекой поры.
Золотые шары, отгорели костры,
Золотые костры той далекой поры.

Я с утра куплю на рынке
Золотых шаров букет.
Выну старые пластинки,
Словно память тех лет.
Всех, с кем жили по соседству,
Теплый вечер соберет,
И опять дорогой детства
Нас память поведет.

Эдуард Ханок

САМУРАЙ

Три часа самолет над тайгою летит,
У окошка японец сидит и глядит.
И не может, не может понять самурай —
Это что за огромный, неведомый край?

Удивленно таращит японец глаза —
Как же так? Три часа все леса да леса.
Белоснежным платком трет с обидой окно,
Я смотрю, мне смешно, а ему не смешно.

Самурай, самурай, я тебе помогу,
Наливай, самурай, будем пить за тайгу.
Про загадочный край
Я тебе расскажу.
Наливай, самурай,
Я еще закажу.

И пока самолет задевал облака,
Он сказал, что в Японии нет молока,
Что в Японии нет ни лугов, ни лесов
И что негде пасти ни овец, ни коров.

97

Я тебя понимаю, мой маленький брат,
Ведь таежный мой край и красив, и богат!
Ты не зря, Панасоник, завидуешь мне.
Так налей же еще в голубой вышине.

ПРЕКРАСНАЯ ДАМА

Студил Петербург разгулявшийся ветер,
По звездному небу катилась луна.
Прекрасная дама летела в карете,
Вся в локонах темных, горда и нежна.

Моя незнакомка из прежних столетий,
С картины сойди и на миг оживи.
Хочу я с тобой прокатиться в карете
По грустным мгновеньям минувшей любви.

Я свечи зажгу и у зеркала сяду,
И там, в Зазеркалье, пригрезится мне
Прекрасная дама с заплаканным взглядом,
И ветер студеный забьется в окне.

Александр Айвазов

ЛИЛИИ

Пруд в белых лилиях прозрачен,
Все лето солнце отражал.
Я как-то раз к соседней даче
Одну девчонку провожал.
Мы с ней друг друга полюбили.
Мою соседку звали Лиля.

А я в пруду для Лили
Сорвал три белых лилии.
А я в пруду для Лили
Три лилии сорвал.
И я в окошко Лилии
Три лилии бросал.

Кружились синие стрекозы,
У нас совпали вкус и цвет.
И было все вполне серьезно,
Как может быть в шестнадцать лет.
Мы пожениться с ней решили,
И торопила время Лиля.

А я в пруду для Лили
Сорвал три белых лилии.

А я в пруду для Лили
Три лилии сорвал.
И я в окошко Лилии
Три лилии бросал.

Как у Ромео и Джульетты,
Не обошлась любовь без бед.
Соседу Ваське в это лето
Отец купил велосипед.
Поднял Василий клубы пыли,
И от меня умчалась Лиля.

Татьяна Овсиенко

НАТАШКА

Целый день над крыльцом кружились осы,
Как умела, отбивалась я от ос
Говорят, что ты меня, любимый, бросил,
Но никто еще моих не видел слез.

Лебедой заросла к тебе дорожка,
Не помнется под ногами лебеда.
Пусть с тобой счастья было лишь немножко,
Но зато разлука тоже не беда.

Ты не рви на груди своей рубашку,
Изменил, так душою не криви.
Уходи и люби свою Наташку,
Обойдусь я как-нибудь без твоей любви.

На душе притаился камень тяжкий,
Не дает на других смотреть парней.
Вот возьму я и покрашусь, как Наташка,
Вот тогда и разберемся, кто главней.

Ты же сам закатил мне в душу камень,
Так зачем, как раньше, смотришь мне в глаза?
Я хочу, чтоб за все мои страданья
Побольней тебя ужалила оса!

БЕССОННИЦА

Месяц выглянул над соснами
И за тучи закатился.
Сколько дней прошло с той осени, —
Ты ни разу мне не снился.

Мне тебя увидеть хочется,
Только этому не сбыться,
Потому что в дверь бессонница
По ночам ко мне стучится.

А с утра заботы разные —
От тоски моей спасение.
Не любить я стала праздники
И субботы с воскресеньями.

Память временем укроется
И поможет мне забыться.
Потому, что в дверь бессонница
По ночам ко мне стучится.

А с утра заботы разные —
От тоски моей спасение.
Не любить я стала праздники
И субботы с воскресеньями.

Память временем укроется
И поможет мне забыться.
Но пока еще бессонница
По ночам ко мне стучится.

Бессонница, бессонница, бессонница,
Печаль к тебе притронется у ночи на краю.
Услышишь, как бессонница
Стучится в дверь твою.

ОБЛОМАННАЯ ВЕТКА

Где-то в сердце моем натянулась
И забилась в тревоге струна.
Снова память как будто очнулась
После долгого тяжкого сна.

Я звоню в твой неведомый вечер
Из далекого серого дня,
Упрекнуть мне тебя будет не в чем,
Если ты не узнаешь меня.

Я знаю — все проходит,
И эта боль пройдет,
Тревожить память, может, и не стоит.
Обломанная ветка весной не расцветет,
И к осени не станет золотою.

Вздрогнул в трубке твой голос и замер,
Я дыханье ловлю в тишине.
Сколько дней этот номер был занят,
Сколько раз отвечал он не мне.

Больше так продолжаться не может,
Ни на что не надеясь, рискну,
И из осени серой, продрогшей
Позвоню в голубую весну.

ПОЖАЛЕЕШЬ

Я долго верить не хотела,
Что не со мной пошел ты в ЗАГС.
Я две недели проревела,
Подушка мокра и сейчас.

Мне все подруги намекали —
Не верь ему, любовь так зла.
За верность не дают медали,
А я как дурочка ждала.

Твоя жена, наверно, рада —
Такого парня отхватить.
Но раньше времени не надо
Уж так судьбу благодарить.

Ах, как звенит от счастья голос!
Откуда знать, бедняжке, ей,
Что ты в пути нажмешь на тормоз,
Сойдешь на станцией моей.

Пожалеешь, пожалеешь,
Пожалеешь, дорогой,
Пожалеешь, что женился
Не на мне, а на другой.

Будь с ней счастлив, как сумеешь,
В жизнь твою я — ни ногой,
Только знаю — пожалеешь,
Пожалеешь, дорогой!

КАРТЫ-КАРТИШКИ

Я не думала, что мне ты
Отведешь такую роль —
Я гадала на валета,
А, выходит, ты — король.

Я не верю картам милый,
Ни вальту, ни королю.
Просто так тебя любила,
Просто так и разлюблю.

Сколько раз мне карты врали
И дурачили меня.
А король в дороге дальней
С дамой треф мне изменял.

Что ж, любимый, карта бита,
Знай — всему приходит срок.
Та история забыта.
Невезучий я игрок.

Карты-картишки брошены веером
Я тебе слишком, милый мой, верила.
Счастье, как вспышка —

Блеснуло, погасло.
Карты-картишки,
Все с вами ясно.

МОРОЗОВ

А я приду на дискотеку в платье розовом,
Я новым феном круто кудри накручу.
Я так мечтаю выйти замуж за Морозова,
Я так носить его фамилию хочу.

А он такой холодный, как его фамилия,
Он никогда не говорит мне теплых слов.
Ах, красота моя, выходит, ты бессильная —
Не можешь ты разжечь в душе его любовь.

А он давно сидит в душе моей занозою.
Ее не вытащить, к чему ходить к врачу?
Я так мечтаю выйти замуж за Морозова,
Я так носить его фамилию хочу.

А он всегда один сидит в углу с гитарою,
О чем звенит его печальная струна?
Идут девчонки с дискотеки вечно парами,
А я который вечер топаю одна.

Окно открою в ночь печальную и звездную,
Магнитофон с любимой музыкой включу.
Я так мечтаю выйти замуж за Морозова,
Я так носить его фамилию хочу.

109

И как обычно до утра одна проплачу я,
Перегорит когда-нибудь во мне накал,
Я разозлюсь и выйду замуж за Горячева.
Он, между прочим, мне об этом намекал!

Ой, Морозов, ты слышишь, Морозов,
Отогрей свое сердце. Оттай.
Ой, Морозов, ты слышишь, Морозов,
За меня себя замуж отдай!!!

Тамрико Гвердцители

ЖЕМЧУЖИНА

Где-то на дне моря синего
Ракушка жила с жемчугом.
Принесли ее волны сильные
На песчаный пляж вечером.

Луч солнца гаснет на песке,
Жемчужина в твоей руке.
Ладонь бережно хранит ее огонь.

Где-то в душе горечь копится.
Вдруг не стану я нужною?
Если любовь наша кончится,
В море брошу я жемчужину.

Где-то в горах солнце спрячется.
Знаешь, ты не зря веришь мне.
Я твоей любви не растратчица,
Я любовь храню бережно.

Луч солнца гаснет на песке.
Жемчужина в твоей руке.
Огонь бережно хранит ее ладонь.

Марк Рудинштейн

КТО ПРИДУМАЛ ЭТИ ЧЕРТОВЫ ЦИФРЫ?

Кто придумал эти чертовы цифры,
Чтоб они, считая годы, неслись?!
Я наверх взлетел в стремительном лифте,
А теперь шагаю медленно вниз.

Я на многих побывал перевалах,
Покорить сумел немало вершин.
Пусть в душе осталось шрамов немало,
Шрамы очень украшают мужчин.

А годы считать — невеселое дело,
Тогда объясните, зачем их считать?
Все помнит еще мускулистое тело,
А сердце умеет любить и страдать.
Пусть сад мой отцвел, и листва облетела,
И новой весне никогда не настать,
Все помнит еще мускулистое тело,
А сердце умеет любить и страдать.

Может, кажется, а может, и правда —
Мне с горы идти приятно вполне.
Ведь задумчивые женские взгляды
Замирают иногда и на мне.

Обошел я все подводные рифы,
Выплыл сам, не потопив никого.
Кто придумал эти чертовы цифры,
Я хотел бы посмотреть на него.

ЛЮСЯ

Какая ночь, как в тысяче романов,
Мерцанье звезд и танцы под луной.
И, может быть, окажется обманом
И эта ночь, и то, что вы со мной.

Как вас зовут, вы мне не говорите,
Сейчас я сам вам имя подберу.
И вы меня зовите, зовите как хотите,
Все, как туман, развеется к утру.
Давайте, Люся, потанцуем,
Поговорим о чем-нибудь,
Как часто, Люся, в жизни мы рискуем,
Так отчего ж еще раз не рискнуть.
Давайте, Люся, потанцуем,
Дает нам жизнь прекрасный шанс.
Давайте, Люся, потанцуем,
Теперь зависит все от нас.

Какая ночь, как будто на картине —
Ее в музей повесить в самый раз.
Я, как паук, запутан в паутине,
Мне нет пути назад из ваших глаз.

Как вас зовут, вы мне не говорите,
Сейчас я сам вам имя подберу.
И вы меня зовите, зовите как хотите,
Все, как туман, развеется к утру.
Давайте, Люся, потанцуем,
Поговорим о чем-нибудь,
Как часто, Люся, в жизни мы рискуем,
Так отчего ж еще раз не рискнуть.
Давайте, Люся, потанцуем,
Дает нам жизнь прекрасный шанс.
Давайте, Люся, потанцуем,
Теперь зависит все от нас.

Какая ночь, сюжет для кинофильма —
Вот крупный план прекрасных героинь.
Вздыхаю перед выбором бессильно —
Так много вас, а я, увы, один.

СЛУЧАЙНЫЙ ПОПУТЧИК

Вхожу в автобус переполненный
И вижу — место у окна.
Какой-то парень, не знакомый мне,
Сказал: «Так поздно, вы одна.
Куда вы едете в автобусе?
Хороших много мест на глобусе.
А не слетать ли вместе в Африку
И там поесть бананов к завтраку?»

Какой счастливый случай!
Какой счастливый случай!
Такое может с каждым вполне произойти.
Случайный мой попутчик!
Случайный мой попутчик!
А мне с ним оказалось надолго по пути.

Мне сразу стало очень весело,
Но я сказала: «Там жара,
А не слетать ли лучше вместе нам
Туда, где холод и ветра?
Не приземлиться ли на льдину нам
И с черно-белыми пингвинами
Там побродить в погоду вьюжную
И не поесть ли рыбы к ужину?»

116

Какой счастливый случай!
Какой счастливый случай!
Такое может с каждым вполне произойти.
Случайный мой попутчик!
Случайный мой попутчик!
А мне с ним оказалось надолго по пути.

На остановке вместе вышли мы,
Так ничего и не решив.
А вечер серп зажег над крышами·
И небо звездами расшил.
И мы бродили с ним по городу,
Мы от жары летали к холоду,
Решив, что лучшее на глобусе
То место у окна в автобусе.

НА ДВА ДНЯ

Где-то пригород столичный
Будят утром электрички.
Высыпают дачники,
Топчут одуванчики.
Лес шумит, щебечут птицы.
На два дня — прощай, столица.

На два дня, на два дня
Все забудьте про меня.

Где-то горы, море плещет,
Здесь красот совсем не меньше.
Камушки у речки,
А в траве кузнечики.
Здесь так быстро время мчится,
На два дня — прощай, столица.

На два дня, на два дня
Все забудьте про меня.

Поливает дождь перроны,
И походкой посторонней
Я иду загадочно,
Изменившись сказочно.
Как же здесь не измениться?
На два дня — прощай, столица.

118

Ансамбль «Комбинация»

КАКИЕ ЛЮДИ В ГОЛЛИВУДЕ!

Подходит как-то к нам известный режиссер
И начинает интересный разговор:
Какие девочки! Откуда? Как зовут?
И не хотите ль прокатиться в Голливуд?

Я буду делать гениальное кино,
Такой типаж, как вы, искал я так давно,
На всю планету вас прославлю, раскручу,
А роль мужскую я Делону поручу.

Какие люди в Голливуде,
Сплошные звезды, а не люди.
Сплошной о'кей и вери гуд!
Нас приглашают в Голливуд.

От предложенья сразу кругом голова,
Мы тут же вспомнили английские слова:
И ай лав ю, вот из йо нейм, и хау мач.
И жизнь казалась чередой сплошных удач.

Пусть наши мальчики немножко подождут,
Огнями манит незнакомый Голливуд.
Пусть Голливуд запомнит наши имена,
Вернемся мы к тебе, любимая страна.

В кинофильме «Граница.
Таежный роман».

ЛЕСНЫЕ ПОЖАРЫ

Солнце отпылало жарким шаром
И сгорело где-то в вышине.
Те лесные давние пожары
Снова искрой вспыхнули во мне.

Что со мной случилось, кто мне скажет,
В сердце тлеет серая зола.
Может, я на том пожаре страшном
Жив остался, но сгорел дотла?

Лесные пожары,
Лесные пожары,
Мне снятся и снятся
Ночные кошмары.
Сгорели осины,
Обуглились ели,
В стихии всесильной
Лишь мы уцелели.

На рассвете мы с тобой проснемся,
Ты не плачь, любимая моя.
Никогда мы больше не вернемся
В эти опаленные края.

Только кто пожары в нас потушит?
Мы навек остались в тех-лесах.
Искрами взлетают наши души,
Догорая в темных небесах.

КАК ЮНЫХ ДНЕЙ НЕДОЛОГ СРОК...

Закрой глаза и уплыви
На старом плотике любви
В тень той черемухи шальной,
Где ты была нежна со мной.
Где ночь упала черной масти,
Где я тебе шептал о счастье.
Как ты мне верила тогда!
Куда же делось все, куда?

Как юных дней недолог срок!
Летящий почерк, пара строк,
В твоих запутанных словах
Любовь забытая жива.
Страницы лет переверни и верни былые дни,
И мы останемся одни и свет погасим.
Вокруг черемуховый цвет,
И нам с тобой по двадцать лет,
Я, как тогда, опять тебе
Шепчу о счастье.

Не думай, что там впереди,
К гадалкам тоже не ходи.
Пускай трамвайчик нас речной
Прокатит по Москве ночной.

Опять мне что-нибудь наври
И виновато посмотри,
Как в те счастливые года.
Куда же делось все, куда?!

НЕ В СЕЗОН, В НАЧАЛЕ МАРТА...

Я гуляю по двору с собачкой, то и дело останавливаюсь поболтать с его обитателями. Старушки на лавочке знают обо мне больше, чем я сама, с автолюбителями обсуждаю мою не престижную, старенькую машину — пора, мол, Ларис, завести тачку покруче — как-никак тебя по телеку показывают.

Такие же собашники, как я, вообще золотые люди — своих питомцев мы все называем доченьками и сыночками и ведем вокруг них добрые и важные разговоры.

А любимые мои собеседники — на глазах вырастающие девчонки. Не успеешь оглянуться, и уже не детки, а взрослые, равные рассуждалки. Иногда кажется, что это мои ровесницы, так они все знают. А спрошу, сколько сейчас ей уже лет, а в ответ — 14 или 15. Может, это не они спешат, а я всю жизнь отстаю?

Итак, я только-только вышла из «комсомольского» возраста. Кто не помнит — 28 лет. Так как комсомол — это «союз молодежи», а в 28 — пожалуйте на выход, значит, я уже перехожу в какую-то новую категорию. Несмотря на это в зеркале еще не отражается женщина бальзаковского возраста, а, наоборот, отражается какая-

124

то второгодница-переросток — худая, некрасивая и безо всякого опыта, судя по выражению лица.

Это время — как раз первый главный виток на винтовой лестнице моей жизни. До этого я болталась на ее первой ступеньке, мечтая хоть немного постоять на второй и не мечтая о третьей.

Спросите — а почему именно на винтовой? А потому, что когда на обычной, то видно — где начало, где конец, и какой она вообще высоты. А винтовая уходит куда-то ввысь и не знаешь, где же она кончает витки, и возможно ли вообще туда подняться, на эту неведомую высоту, и не закружится ли голова, пока дотопаешь до самого верха.

На первой ступеньке что хорошо — падать некуда, а если и придется упасть — не больно. На этой ступеньке дни похожи один на другой, и зарплата такая маленькая, что колготки не купить — как потеплее становится, нарисуешь чернильным карандашом на голой ноге узорный рисунок и шов посередине и пожалуйста — не ноги, а красота.

Зимой труднее. А тут вдруг в моду входят цветные чулки. И надо, очень надо так выглядеть, чтоб заглядывались юноши. И тогда воображение подсказывает зайти в спортивный магазин и купить цветные гетры. Они же без пятки, без носка и короткие, поэтому стоят намного дешевле настоящих цветных чулок. Ничего, что наверху белая полоса — юбку подлиннее, и незаметно.

И вот я, красавица-красавицей, в красных чулках, на зависть всем, вхожу в кафе-мороженое с подругой, и как раз упираюсь взглядом в симпатичного блондина, именно такого, какие мне нравятся, а он упирается синими глазами в мои красные чулочки. Я делаю вид, что слушаю подругу, а про себя уже репетирую, что ему отвечу, когда подойдет, соглашусь ли, чтоб он меня проводил. Скажу ли, что меня зовут Лариса, или придумаю какое-нибудь более звучное имя — например Тереза или Ванда. Красивое имя, красивые чулки, и блондин в плену навсегда.

Он с приятелем съели свое мороженое и, смотрю, он идет в мою сторону, замираю. Подходит, говорит:

— Девушка, здравствуйте. Скажите, а за какую команду вы играете в футбол?

Эх, полоски на гетрах все-таки выдали меня. Пока я покраснела, пока потом побледнела, блондин исчез навсегда. Как их много навсегда исчезло из моей затянувшейся молодости!

Как я хотела выйти замуж, как старалась каждый раз, как только появлялся объект любви. И ухаживала за ними, и билеты в кино сама покупала, и даже с цветами на свидания приходила, чтоб ему не надо было на меня тратиться.

Сейчас я представляю себе, как все эти мои мучители по телевизору меня видят и думают, если вообще помнят, — ой, ну надо же, ведь это могла быть моя жена! Дурак я, дурак!

Поздно, дурачки! Надо было раньше думать.

Это я все к тому рассказываю, что стою я на первой неопасной ступеньке моей винтовой лестницы, задрав голову, смотрю туда, где звезды, и начинаю отсчет ступенек вверх.

И вот уже объявление в газете о наборе на курсы японского языка. Мама говорит, что у меня мозги чудные и у меня получится. И я пошла. И получилось. И затянулось все это на 25 лет моей трудовой биографии.

На курсах я прожила три счастливых года — и преподавательница, заразившая любовью к языку, и веселая группа.

Я запоминала быстрее всех. И говорила быстрее всех. Они все корпели, запоминая количество палочек в иероглифах. А я так ни одного иероглифа не запомнила — вместо доски смотрела на симпатичного и делающего вид, что холостой, сокурсника. Глаза, одним словом, были заняты, а уши свободны. Вот уши-то и оказались моим самым жизненно важным органом — взяли да и запомнили этот невероятный язык. А читать и писать я не умею. Даже как Лариса пишется по-японски, я до сих пор не знаю. Ой, нет, одно слово я все-таки знаю, как пишется иероглифами, — электровоз — денки кикаися. Длинное, красивое слово-картинка. Ведь японские слова, как детские кубики — картинка к картинке — вот тебе и слово. Электричество, дух, вместилище и механизм — вот тебе и электровоз. Это слово я изучила, чтоб при случае блеснуть удивительными зна-

ниями перед новыми знакомыми. Ошеломляю этой красотой всех, и вот уже интерес к моей персоне.

Быстро-быстро пролетели эти японские уроки — и песенки в голове японские, и палочками ем дома все подряд, и музыка японская на магнитофоне.

А потом спортивная универсиада в Москве и тучами японцы — посмотреть, кто же это такие, не отдают им острова?

И я с толстенным словарем с первой группой, доверенной мне «Спутником» — бюро международного молодежного туризма. Каждое слово смотрю в словаре, показываю на пальцах и мимикой, и вся группа меня любит, и автобус содрогается от дружного японского хора, поющего по-русски «Бусть бегут неукрюзе песефоды по рузам». Это я их научила песенке из «Крокодила Гены», а у них нет букв л, ж, х. Вот так и получается. Они в знак благодарности учат меня веселой песенке с припевом «Бу-ну осимасу». При этом они издают смешные, но неприличные звуки. Потом я узнала, что это песенка о том, кто как пукает — как бедняк, как богач, как жадина и т.д. А на припев как раз эти самые звуки.

Как я это все любила! Как ждала каждую группу! Постепенно словарь стал уже не нужен, я много слов уже знала и говорила свободно. А потом были поездки по всему Советскому Союзу с известным в Японии варьете «Девушки из Такарадзуки». Четыре месяца — ни слова по-русски, целыми днями с ними, и уже японский без акцента и на любую тему. За четыре месяца около

80 представлений. И однажды мне стало завидно — они на сцене, им хлопают, а я, как дура. И решила я тоже на сцену выйти.

Был у них такой номер — Имомуси. Это значит гусеница. Вся труппа — а их 72 девушки — сидят на корточках, держат друг друга за талию. Просто летка-енка, только как бы вприсядку. А сверху на них накинуто очень живописное покрывало с узором расцветки этой самой гусеницы. И они все по очереди поднимаются — приседают под этим покрывалом — одним словом, извиваются как гусеница под японскую народную музыку.

И вот однажды они присели, а я подошла, тоже присела, зацепилась за талию последней девушки, подтянула на себя покрывало и вышла вместе с ними на сцену извиваться. Как я была счастлива все две минуты. Зато потом! Оказалось, что покрывало по длине было рассчитано ровно, чтоб прикрыть 72 попки. А у меня, уже и тогда не очень хрупкой, оказалась прикрытой только голова. А все остальное выглядывало из-под покрывала и извивалось как бы отдельно.

Вся труппа была наказана хозяином за то, что не проявила бдительности и допустила такое своеволие. Меня ругать он не решился — боялся обидеть, так как знал, что переводчиков японского языка очень мало и без меня они не обойдутся.

Когда «Такарадзуки» уехали, я долго скучала и даже плакала, вспоминая это время.

Я уже семенила ногами на второй ступеньке винто-

вой лестницы, и уже мне было на ней скучно. И тут, как на подкидной доске, меня подобрала жизнь — и я год за годом, группа за группой, и сны уже снятся по-японски, и ступенька за ступенькой — и винтовая лестница моя делает новый, резкий виток.

Март 1983 года. Маршрут группы Москва — Сочи — Москва. Я уезжаю со взволнованным сердцем, так как уже приходил лечить зубы к моему мужу-стоматологу композитор Владимир Мигуля, и муж уже объяснил ему и всем знакомым, что я придумываю стишки по праздникам и к дням рождений не просто так, а как-то особенно. И Мигуля уже обещал посмотреть, нельзя ли из моего стишка песенку сделать. Осталось только этот стишок написать. Итак, японцы в Сочи отдыхают, выполнив программу, а я гуляю по пляжу. Никого, кроме меня. Нагнулась, подняла синюю бумажку — прошлогодний билет в кино. Прошлогодняя чья-то радость. И сердце мое уже запеленговало эту волну, и потянулись слово за словом строчки моей первой песни «Вернулась грусть».

Японская дорожка привела меня на очередную ступеньку, и началась моя новая жизнь.

НЕ ОСТАВЛЯЙ МЕНЯ ОДНУ!

Публичная жизнь

НЕ ОСТАВЛЯЙ МЕНЯ ОДНУ!

И сегодня, и вчера,
И в другие вечера
Дотемна сижу одна
И яркий свет не зажигаю.
В черном небе круг луны.
О тебе я вижу сны,
Но тебе я не нужна,
Ведь у тебя теперь другая.

Но я вернуть тебя хочу,
Как заклинание шепчу:
Не оставляй меня одну!
Я ненавижу тишину.
Я ненавижу тишину,
Не оставляй меня одну.
Ревнуй, а хочешь, изменяй
И лишь одну не оставляй.

Вот на фото ты и я
И заморские края.
Слышно, как шумит прибой
И волны в пене набегают.

Не вернуть и не забыть,
И без тебя учиться жить,
Знать, что в прошлом жизнь с тобой
И у тебя теперь другая.

Я — КАК БАБОЧКА БЕЗ КРЫЛЬЕВ

У нас с тобой была недолгая любовь.
Была любовь недолгая, но жаркая.
Ты осыпал меня букетами цветов
И милыми ненужными подарками.

Профессором любви тебя я назвала,
Была твоей студенткою прилежною.
Но как-то ты сказал, чтоб больше не ждала,
И погасил глаза бездонно-нежные.

Я — как бабочка без крыльев
На цветке без лепестков.
И в глазах твоих застыли
Льдинки тех холодных слов.
Дни, когда мы вместе были,
Не оставили следов.
Только бабочка без крыльев
На цветке без лепестков.

Профессор, твой урок я помню наизусть.
И, горькими ошибками научена,
Я опытом своим с другими поделюсь
И буду жить надеждами на лучшее.

Но больше не смотрюсь так часто в зеркала,
Там на губах дрожит улыбка жалкая.
У нас с тобой любовь недолгая была,
Была любовь недолгая, но жаркая.

ЛЕБЕДИНОЕ ОЗЕРО

Смотрю на сцену, замирая,
Как будто нет вокруг людей.
А там, как ангелы из рая,
Порхает стайка лебедей.
Залюбовался я Одеттою,
В прикид из перышек одетою.

Машет, машет ножкой тонкой,
Очень жалко мне девчонку.
В том, что лебедь на диете,
Виноват Чайковский Петя.
Ой, упал мой лебедь белый.
Петя, Петя, что ты сделал?

А во дворе кипели страсти —
Ребята, нам бы так пожить!
А принц с ума сошел от счастья,
В колготках беленьких кружит.
Он к ней подплыл, душа продажная,
И показал свое адажио.

Машет, машет ножкой тонкой,
Очень жалко мне девчонку.

137

В том, что лебедь на диете,
Виноват Чайковский Петя.
Ой, упал мой лебедь белый.
Петя, Петя, что ты сделал?

На вид-то принц нормальный парень,
Чего несется, как шальной?
Как будто кто его ошпарил,
И стало плохо с головой.
Мне закричать Одетте хочется —
Беги, а то все плохо кончится!

Оксана Пушкина подарила мне «женский взгляд»

РАСТВОРИМЫЙ КОФЕ

Сегодня что-то грустно мне,
А к грусти не привыкла я.
Включу негромко музыку
И сигаретку выкурю.

Хоть было все неправдою,
Что ты наговорил,
Но все равно я радуюсь,
Что ты со мною был.

Хоть ты не настоящий,
Как растворимый кофе,
Но действуешь бодряще,
В любви ты супер-профи.

Считаю жизнь пропащей,
Когда мы врозь, любимый,
Хоть ты не настоящий,
Как кофе растворимый.

Ты не оставил адреса,
Мой сладкий, засекреченный.
Тебя искать отправлюсь я
Сегодня поздним вечером.

У кофе растворимого
Неповторимый вкус.
Тебя найду, любимый, я
И тут же растворюсь.

ТАКАЯ КАРТА МНЕ ЛЕГЛА

Я так часто была не права
И не те говорила слова,
Я бывала не там и не тем,
Я запуталась в море проблем.

За свои я платила грехи,
Уходили к другим женихи.
Я ходила к гадалке, она
Мне сказала: «Ты будешь одна».

Такая карта мне легла,
Такая доля выпала,
Я так хотела стать другой,
Да, видно, не могу.
Я по теченью не плыла,
Но все ж на берег выплыла,
И ты меня, любимый, ждал
На этом берегу.

Я в твоих растворяюсь глазах,
Я боюсь оглянуться назад,
Заметаю я в прошлое след,
Где проснусь — а тебя рядом нет.

142

Ты не спрашивай, с кем я была,
Я тебя и с другими ждала,
И когда я была не одна,
Я тебе оставалась верна.

НЕ ИЩИТЕ, ДРУГ МОЙ...

Почуяв горький привкус осени,
Сгорает лета карнавал.
Еще деревья не набросили
Своих багряных покрывал.

Еще дожди не занавесили
Былого лета благодать,
А почему мне так невесело,
Вы не старайтесь угадать.

Не ищите нужных интонаций,
Не ищите подходящих слов,
Не ищите дом в тени акаций,
Там закрыты двери на засов.
Не права? — быть может, не взыщите,
Ничего я сделать не могу.
Не ищите, друг мой, не ищите
Васильки на скошенном лугу.

Я верю, вы грустите искренне
И не скрываете тоски.
Друг другу мы не стали близкими,
Хоть и бывали так близки.

Лиловый дым плывет колечками.
А вам, мой друг, к лицу страдать.
Как буду раны я залечивать,
Вы не старайтесь угадать.

МОЯ ДУША НАСТРОЕНА НА ОСЕНЬ...

Моя душа настроена на осень,
Гостит печаль на сердце у меня.
Опять часы показывают восемь —
Короткий миг сгорающего дня.

В тот день в саду проснулись хризантемы
И были так беспомощно-нежны...
Когда вы вдруг коснулись вечной темы,
Я поняла, что вы мне не нужны.

Открыт мой белый веер
Сегодня не для вас.
Я укорять не смею
Прохладу ваших глаз.
Быть нежной вам в угоду
Я больше не могу.
Вы цените свободу?
Что ж, я вам помогу.

Я тороплю мгновенья к листопаду,
К холодным дням мгновенья тороплю.
Я вас прошу, тревожиться не надо.
Мне хорошо, но я вас не люблю.

Хрустальный дождь рассыпан по аллеям,
Вздохнете вы — погода так скверна!
А я, мой друг, нисколько не жалею,
Что прошлым летом вам была верна.

Другими днем, другою жизнью лежим
Влюбленные в другие ж жизни.
А нынче, нынче это просто
...

ВЕРНУЛАСЬ ГРУСТЬ

Снег весенний, потемневший —
Солнце к снегу прикоснулось.
Все казалось отболевшим.
Но вернулась боль, вернулась.

Мы с тобой уже не в ссоре,
Нет ни встреч и ни прощаний.
В город маленький у моря
Прилетит воспоминанье.

Не в сезон — в начале марта
Я приду на пляж забытый,
Прошлогодние приметы
Я у моря поищу —
Прошлогодние свиданья,
Прошлогодние надежды,
Прошлогодние печали
Вспоминаю и грущу.

Зимовала, горевала,
Приучила сердце к грусти,
Но не думала, не знала,
Что вернется, не отпустит.

Здесь, у моря, вспоминаю
Про прошедшее тепло
И с надеждой понимаю,
Что не все еще прошло.

В ПЕРВЫЙ РАЗ

У нас все будет, как в-кино, —
Свеча и свет погашенный.
Качни на донышке вино
И ни о чем не спрашивай.

Испуг твоих коснется глаз,
Поможет хмель отчаяться.
Со всеми это в первый раз
Когда-нибудь случается.

Не так все страшно, не грусти
И не терзай вопросами.
За смелость рук меня прости,
Прости, что сделал взрослою.

Свет звезд ночных уже погас,
В окне рассвет качается.
Со всеми это в первый раз
Когда-нибудь случается.

Домой вернешься на заре,
Наврешь чего-то маме ты
И обведешь в календаре
Кружком денечек памятный.

150

В кино закончится сеанс,
Но ни к чему печалиться —
Со всеми это в первый раз
Когда-нибудь случается.

ОРЕШНИК

Напоминаньем дней ушедших,
Живущих рядом где-то,
Зазеленел в лесу орешник
К концу весны, к началу лета.

Нам не найти тропинок прежних,
Тепло сменилось на прохладу.
Но тянет ветки к нам орешник,
И ничего уже не надо.

Мы дни торопим в вечной спешке,
Но память путаем напрасно.
Вернул друг другу нас орешник,
И это все-таки прекрасно.

ОСИНОВЫЙ ОГОНЬ

Огнем горит любовь,
Осиновым огнем,
Оранжевым огнем,
Осенним наважденьем.
Давай от вечных слов
Немного отдохнем,
Над пламенем осин
Дождя сопровожденье.

Осиновый огонь — причуда сентября,
Каприз последних дней
Сгорающего лета.
А если навсегда
Осины отгорят,
То ты прошедший дождь
Не обвиняй за это.

Невольница-любовь
В плену огня осин,
В плену у перемен,
Случайных, неизбежных.

153

Но ветер налетел,
Осины погасил,
И в пламени осин
Сгорела наша нежность.

У СЕРЕБРЯНОГО БОРА...

Шел по улице троллейбус
Через летнюю Москву.
Искупаться так хотелось,
Лечь в высокую траву.
В час такой пустеет город,
Ни прохожих, ни машин.
У Серебряного Бора
Я ждала, а ты спешил.

У Серебряного Бора на кругу
Мы любовь остановили на бегу,
Мы любовь остановили на бегу
У Серебряного Бора на кругу.

Плыл сентябрь арбузно-дынный,
Лил дождями за окном.
Мы пришли на пляж пустынный,
Лодки мокрые вверх дном.
До тепла теперь не скоро,
Ветерок за воротник.
У Серебряного Бора
Холод в души к нам проник.

У Серебряного Бора на кругу
Мы любовь остановили на бегу,
Мы любовь остановили на бегу
У Серебряного Бора на кругу.

В эти дни темнеет рано,
Снег блестит от фонарей.
Ты сказал мне как-то странно:
— Хоть бы лето, что ль, скорей.
Посмотрел в глаза с укором,
Не люблю, мол, холода…
У Серебряного Бора
Ты растаял без следа.

СТАРЫЕ ЛИПЫ

Я окно открою в теплый вечер,
В запах лип и в музыку вдали.
Говорят, что время раны лечит,
А моя по-прежнему болит.

Все сбылось, но позже, чем хотелось,
И пришел не тот, кого ждала.
Моя песня лучшая не спелась
И в давно забытое ушла.

А старые липы
Печально молчали
О том, что в начале,
О том,что в конце.
А старые липы
Ветвями качали,
И былое кружилось
В золотистой пыльце.

Я окно открою в чьи-то тени,
В чей-то смех и в чьи-то голоса.
И опять вечерним наважденьем
Мне твои пригрезятся глаза.

157

Не твоя там тень в руке сжимает
Тень цветов, как тень ушедших лет.
Это просто ветер налетает
И срывает с лип душистый цвет.

НЕ ПРОХОДИТЕ МИМО

Женщина курит на лавочке
На многолюдной улице.
Женщине все до лампочки.
Женщина не волнуется.

В жизни бывало всякое,
Не обжигайте взглядами.
Жизнь — не кусочек лакомый,
Это — напиток с ядами.

В синих колечках дыма
Кроется тайный знак —
Не проходите мимо!
Ну хоть не спешите так!

Странные вы, прохожие,
Хоть и широкоплечие.
Женщине не поможете
Этим безлунным вечером.

Вы бы подсели к женщине —
По сигаретке выкурить.
Может быть, стало б легче ей
Память из сердца выкинуть.

159

ПРОШЛОЕ

Вспоминаю тебя, вспоминаю.
И стираю слезинки с ресниц.
Я роман наш недолгий читаю,
Сто горючих и сладких страниц.

Закипел он в сиреневом мае
И привел на обрыв сентября.
Вспоминаю тебя, вспоминаю,
Вспоминаю, наверное, зря.

Прошлое ты, прошлое,
Что в тебе хорошего,
Ты, как гость непрошеный, снова у дверей.
Прошлое ты, прошлое,
Что в тебе хорошего?
Проходи ты, прошлое, проходи скорей.

Не забыться тем дням, не забыться,
Ничего мне не сможет помочь.
Мне все снится, теперь только снится
Та безумная первая ночь.

Я вникала в твой шепот горячий,
И, наверно, была не права.
Ничего в нашей жизни не значат
Золотые, ночные слова.

В эту ночь, в эту последнюю ночь
И твои уже слышу шаги.
И в душе тревога и звень комариная —
Комариная...

ПЕРВЫЙ МУЖЧИНА

Ночь взлетела синей птицей и растаяла,
На прощанье помахала мне крылом.
В эту ночь тебя бояться перестала я,
Было страшно, было сладко и тепло.

А потом рассвет рассыпался по комнате,
Лучик солнца на твоем дрожал плече.
Эта ночь тебе, наверно, не запомнится,
Просто ночь. Одна из тысячи ночей.

Мой мужчина самый первый,
Искусала в кровь я губы,
Мой мужчина самый первый,
Первый нежный, первый грубый.
Мой мужчина самый первый,
Самый близкий и опасный,
Мой мужчина самый первый,
Мой прекрасный.

Все, как было, по минуткам я запомнила —
Как вошел ты, как смотрел и как обнял,
И как небо раскололось вдруг огромное,
Сотни звезд своих обрушив на меня.

Я не знаю, как у нас все дальше сладится,
Кем в моей ты обозначишься судьбе?
Быть ли мне твоей невестой в платье свадебном
Или плакать, вспоминая о тебе?

УТРЕННЯЯ РОЗА

Не такой, не такой ты, как все.
Этим вечером, теплым и звездным,
Ты назвал меня утренней розой
С лепестками в хрустальной росе.

Зачем ты меня растревожил,
Зачем ты был так осторожен,
Зачем ты был так осторожен,
Был так осторожен со мной,
Хотелось так утренней розе,
Разбуженной утренней розе,
Проснувшейся утренней розе
Стать розой твоею ночной.

Все не так, все не как у других.
Я хотела, чтоб ты прикоснулся,
Чтобы вздрогнул бутон и проснулся
В беспокойных ладонях твоих.

Зачем ты меня растревожил,
Зачем ты был так осторожен,
Зачем ты был так осторожен,
Был так осторожен со мной,

Хотелось так утренней розе,
Разбуженной утренней розе,
Проснувшейся утренней розе
Стать розой твоею ночной.

Будет все, будет наверняка.
Смех и радость, печали и слезы.
Но шипы твоей утренней розы
Не умеют колоться пока.

НЕ НАДО, ОЙ, НЕ НАДО

Все мне казалось сном —
Сумерки за окном,
Важность негромких фраз
И нежность глаз.

В дом свой ты не спешил,
Будто бы все решил.
Но опоздал чуть-чуть —
Был долог путь.

Не надо, ой, не надо
Твоих горячих взглядов.
Нам не вернуть обратно
Тех дней невероятных.
Не надо, ой, не надо.
Я и сама не рада,
Что жаркий взгляд любила
И обожглась, мой милый.

Помнишь, как в прежних днях
Ты обижал меня?
Ты на часы смотрел,
А взглядом грел.

Ты не спешил прийти,
И разошлись пути.
Больно чуть-чуть, ну что ж,
Меня поймешь.

МУЖЧИНАМ ВЕРИТЬ МОЖНО

Прошлой осенью в Крыму
Я поверила ему.
Помню, ночь тогда была звездная.
А потом зима пришла,
Все тогда я поняла,
Только жаль, все поняла поздно я.

Мужчинам верить можно,
Но очень осторожно.
А если даже веришь, то вид не подавать.
Ведь в этой жизни сложной
Легко обжечься можно.
А если раскалишься, так трудно остывать!

Сигаретка и дымок,
И по нервам легкий ток,
И дыханье губ его жаркое.
А потом перрон, вокзал,
Посторонние глаза
И мое «не забывай» — жалкое.

Мужчинам верить можно,
Но очень осторожно.
А если даже веришь, то вид не подавать.

Ведь в этой жизни сложной
Легко обжечься можно.
А если раскалишься, так трудно остывать!

Две странички в дневнике,
Две слезинки на щеке,
И на карточке пейзаж с пальмами.
Время лечит, все пройдет,
Снегом память заметет,
И дорога уведет дальняя.

С ТОЙ ДАЛЕКОЙ НОЧИ...

Опять в саду алеют грозди,
Как подобает сентябрю.
Ты был моим недолгим гостем,
Но я судьбу благодарю.

Мы были оба несвободны,
И в этом некого винить.
И не связала нас на годы
Судьбы запутанная нить.

С той далекой ночи нашей
Ты совсем не стала старше,
Хоть глаза глядят серьезней,
А в улыбке грусти след.
С той далекой нашей ночи
Изменился ты не очень,
Хоть сто зим прошло морозных
И сто грустных, долгих лет.

Летучей молнией мелькнула,
Влетела в жизнь и обожгла.
Нет, нас судьба не обманула,
Она нас просто развела.

Но все всегда идет по кругу,
Как предназначено судьбой.
И несвободны друг от друга
Все эти годы мы с тобой.

РАЗГАДАЙ МОЙ СОН

День как день — никаких новостей.
День как день, проводили гостей.
Перемыта посуды гора,
И опять на работу с утра.

Разгадай мой сон —
Что бы это значило? —
Плыл на лодке слон,
Веслами покачивал.
Плыл по воле волн,
Плыл — не поворачивал.
Очень странный сон.
Что бы это значило?

Год как год — лето, осень, весна.
Год как год, нет ни ночи без сна.
Тихо плещет о лодку волна.
Я уже не могу без слона.

Разгадай мой сон —
Что бы это значило? —
Плыл на лодке слон,
Веслами покачивал.

172

Плыл по воле волн,
Плыл — не поворачивал.
Очень странный сон.
Что бы это значило?

Жизнь как жизнь — дни текут, как вода.
Жизнь как жизнь, ты мой сон отгадал.
Мы с тобою по жизни плывем,
Волшебство в сновиденья зовем.

ПИСЬМА

Моды на письма давно уже нет,
А мне почтальоном вручен
Синий конверт, невесомый конверт,
В нем несколько слов ни о чем.
Если б ты жил от меня далеко
И не было связи другой,
Тебе до меня дозвониться легко,
Всегда телефон под рукой.

Но что тебе навеяло такое настроение?
Такое настроение в тебе не угадать.
А может, твоя бабушка, как девочка, рассеянно
Забыла своей юности пожухшую тетрадь.
А в бабушкиной юности была другая музыка,
И как сейчас танцуем мы, для бабушки смешно.
А в бабушкиной юности писали письма грустные.
Нам кажется, что только что, ей кажется — давно.

Пух тополиный влетает в окно,
Век наш в транзистор включен.
Я неотрывно смотрю на одно
Из нескольких слов ни о чем.

174

Мы на ходу произносим слова,
Вечно куда-то спешим.
Молодость бабушки тоже права.
И ты мне еще напиши.

ДЫМ ОТЕЧЕСТВА

Учил урок прилежный школьный мой приятель,
Что дым отечества нам сладок и приятен.
Но в детство канула забытая тетрадка,
Давно дымит мое отечество не сладко.
И вот недавно я узнал совсем случайно,
Что друг давно к другому берегу отчалил,
Открыл свой бизнес там, и дело процветает,
Но все равно ему чего-то не хватает.

Душа не лечится, душа не лечится,
И по ночам ушедшее тревожит.
Там дым отечества, там дым отечества,
Хоть горек он, но нет его дороже.
И человечество, и человечество
Ломает головы, понять не может
Мое отечество, мое отечество,
Где горек дым, но нет его дороже.

Глядят ученые-астрологи на звезды
И составляют невеселые прогнозы,
И обожают цвет коричневый уроды,
И изгоняют из отечества народы.

И у посольства вьются очереди шумно.
Хоть там немало дураков, но много умных.
Их потеряв, мое отечество мельчает.
Они уедут, чтобы мучиться ночами.

ОСЕННЕЕ ПРОЩАНИЕ

Утро расставанья. Кофе остывает.
Все слова истратив, мы с тобой молчим.
Нету виноватых — просто так бывает —
Улетает нежность, как к зиме грачи.

Мы к осени причалили
В настурции печальные.
Прошла пора венчальная,
Настала разлучальная.

Вскинут клены ветки, опустев от листьев.
Опустели взгляды. Не нужны слова.
Что-то стали редки друг о друге мысли.
Может, так и надо? Может, ты права?

Мы к осени причалили
В настурции печальные.
Прошла пора венчальная,
Настала разлучальная.

Что ж тебя тревожит? Мы же шли к разлуке.
Можем друг без друга вроде обойтись.
Может, мы и сможем, но не смогут руки.
И глаза не смогут — ты не уходи.

178

В ДЕНЬ, КОГДА ТЫ УШЛА

В день, когда ты ушла,
Снег засыпал дорогу у дома,
По которой могла
Ты еще возвратиться назад.
В день, когда ты ушла,
Стало все по-другому.
Намело седины
В золотой облетающий сад.

В день, когда ты ушла,
Еще долго шаги раздавались.
Это эхо твое
Не хотело мой дом покидать.
В день, когда ты ушла,
Твое имя осталось
Среди горьких рябин
В облетевшем саду зимовать.

В день, когда ты ушла,
От меня улетела синица.
Я ловил журавля,
А синицу не смог удержать.

179

День, когда ты ушла,
Больше не повторится.
Снег метет за окном.
И от холода ветки дрожат.

А БЫТЬ МОГЛО СОВСЕМ НЕ ТАК...

Встречаешь меня заплаканным взглядом.
Отчаянных слов глухая ограда.
И ключ на столе, и вещи у двери.
Недоброй молве смогла ты поверить.

А быть могло совсем не так,
Ведь я тебе совсем не враг.
Все быть могло, но не сбылось.
Теперь мы врозь. Теперь мы врозь.

В холодную ночь ушла ты из дома.
Так было не раз. До боли знакомо.
Но ты не учла лишь самую малость —
Ты вещи взяла, а сердце осталось.

А быть могло совсем не так,
Ведь я тебе совсем не враг.
Все быть могло, но не сбылось.
Теперь мы врозь. Теперь мы врозь.

Беда на двоих, и нет виноватых.
За что же, скажи, такая расплата?
А стрелки бегут печально по кругу.
Мы учимся жить уже друг без друга.

181

Гастрольная жизнь

ПРИКАЖУ...

Ты взял билет с открытой датой,
Ты взял билет в один конец.
Перрон поплыл в лучах заката,
Качнулся в небе звезд венец.
Сказал ты: сердцу не прикажешь,
Как это просто доказать!
Ты одного не знаешь даже:
Могу я сердцу приказать.

Прикажу тебя помиловать,
Обвиненья отклонить.
Ну, а если хватит силы мне,
Прикажу тебя казнить.
Я сама приму решение,
Приговор свой объявлю —
Наказанье ли, прощенье ли,
А пока люблю, люблю...

Проходят дни, и я скучаю,
Забыв все то, что ты сказал.
Я поезда хожу встречаю
На разлучивший нас вокзал.

183

Смотрю на лица в окнах мутных,
Пока не выйдут все, стою.
Бывают странные минуты —
Тебя во всех я узнаю.

Прикажу тебя помиловать,
Обвиненья отклонить.
Ну, а если хватит силы мне,
Прикажу тебя казнить.
Я сама приму решение,
Приговор свой объявлю —
Наказанье ли, прощенье ли,
А пока люблю, люблю...

Поторопись, пока пургою
Не замело назад пути.
И я, на все махнув рукою,
Смогу однажды не прийти.
По опустевшему вокзалу
Никем не встреченный пойдешь.
И что я сердцу приказала,
Ты с опозданием поймешь.

ЕСЛИ СПРОСЯТ...

По всем календарям у осени в начале
Оставят холода в деревьях рыжий цвет.
А ты сидишь с утра у зеркала в печали —
Еще один сентябрь тебе прибавил лет.

Если кто-то спросит тебя о годах,
Пусть ответит осень красотой в садах.
А зимою спросят — пусть снега ответят,
Ты в такую осень не грусти о лете.

Как осени к лицу багряные наряды,
Тебе, поверь, идут твои не двадцать лет.
Так что ж рожденья день ты праздновать не рада
И смотришь за окном оранжевый балет?

Если кто-то спросит тебя о годах,
Пусть ответит осень красотой в садах.
А зимою спросят — пусть снега ответят,
Ты в такую осень не грусти о лете.

А ты опять грустишь — зима нас не минует,
Зимой не расцветут ни травы, ни цветы.
Пусть чья-нибудь весна меня к тебе ревнует.
Во мне весна одна, и ей зовешься ты.

185

Я ЖДАЛА-ПЕЧАЛИЛАСЬ

Я письмо напишу, но тебе не отправлю,
Чтобы ты не узнал, что я в нем напишу.
И надежд никаких я тебе не оставлю,
Что спустя столько лет я тобой дорожу.

Я ждала-печалилась,
А потом отчаялась,
Лодочкой причалилась
К берегам чужим.
И в конверте сложены
Мысли безнадежные.
Вспоминать нам прошлое
Стоит ли, скажи?

Было все, как у всех, — время встреч и прощаний.
Засыпала с тобой, просыпалась одна.
Не ждала от тебя никаких обещаний,
Но считала сама, что тебе я жена.

Я ждала-печалилась,
А потом отчаялась,
Лодочкой причалилась
К берегам чужим.

И в конверте сложены
Мысли безнадежные.
Вспоминать нам прошлое
Стоит ли, скажи?

Ты меня разлюбил. Ничего не попишешь.
Я уже у небес ничего не прошу.
Засыпаю с другим. Он моложе и выше.
Ну, а что на душе, и тебе не скажу.

РОВНО ГОД

У меня сегодня праздник,
Я цветы поставлю в вазу,
Я оденусь в дорогое
И налью себе вина.
У меня сегодня праздник —
Ровно год, как мы расстались,
Ровно год, как ты с другою,
Ровно год, как я одна.

У меня другого нет.
Ты один — в окошке свет.
Ровно год, как мы расстались,
Долгим был, как тыща лет.

Я сегодня отмечаю
Праздник грусти и печали.
За безрадостную дату
Выпью я бокал до дна.
Год, как слушаю ночами
Телефонное молчанье,
Год, как нету виноватых.

188

Может, только я одна.
У меня другого нет.
Ты один — в окошке свет.
Ровно год, как мы расстались,
Долгим был, как тыща лет.

Я одна живу отлично,
Все нормально в жизни личной,
И почти что не жалею,
Что не я твоя жена.
У меня свои заботы,
Плачу только по субботам.
И еще по воскресеньям.
И еще, когда одна.

ПОРОСЛО БЫЛЬЕМ БЫЛОЕ

Вечер розовой краской заката
Зачеркнул налетевшую грусть.
Неразгаданный мой, непонятный,
Ты не вместе со мной, ну и пусть.

Как далекое эхо былого,
Мне послышались вдруг в тишине
Три коротких, несбыточных слова,
Так тобой и не сказанных мне.

Поросло быльем былое
На забытом берегу,
Только сердце успокоить
До сих пор я не могу.

Ветер бродит в нескошенных травах,
Веет холодом, плечи знобя.
Мы с тобой были оба не правы,
Я — любя, ты — совсем не любя.

Я судьбою твоею не стану,
И не будешь ты суженым мне,
Но когда я грустить перестану,
Буду я несчастливей вдвойне.

190

СТАРЫЙ ДРУГ

Ты разлюбил меня, ну что ж!
Не растопить слезами холод.
Мой новый друг собой хорош,
Мой новый друг горяч и молод.
Мой новый друг к тому ж умен,
Но я тобой, мой милый, грежу.
Звонит уставший телефон —
Я подхожу к нему все реже.

Ты, мой старый друг,
Лучше новых двух —
Поняла я вдруг
Эту истину.
И замкнулся круг —
Ничего вокруг,
Никого вокруг,
Ты — единственный!

Мой новый друг, он так богат!
Мне жить и радоваться можно.
Но я опять смотрю назад,
Хоть это, в общем, безнадежно.

Добра не ищут от добра,
Но мне дороже зло с тобою.
Пусть эта истина стара,
Но что поделаешь с судьбою?

НЕ ЗАМУЖЕМ!..

Я замуж никогда не выходила,
Вернее, выходила тыщу раз.
Женатых я из дома уводила,
Не замечая жен горючих глаз.
Любила, наряжалась, растворялась
В их жизнях без остатка и конца.
Но как-то вышло так, что я осталась
Без свадебного платья и кольца.

Не замужем, не замужем,
Хоть и давно пора.
Не замужем, не замужем,
Проиграна игра.
Не замужем, не замужем,
Не мил весь белый свет.
И побывать мне замужем
Уже надежды нет.

Порой мои замужние подруги,
Сочувственно вздыхая, мне звонят,
Но, помня мои прошлые заслуги,
В свой дом зовут не очень-то меня.

193

Одна проснусь я на Восьмое марта,
Сама себе букет мимоз куплю.
Ох, жизнь моя — проигранная карта,
И никого я больше не люблю.

Я ВСПОМНИЛ ВСЕ

Будни поэта

Я ВСПОМНИЛ ВСЕ

Я вспомнил все, что я забыл,
Когда в далеком море плыл,
И снова музыка весла
К тебе несла.
И я качнулся на волне
Таких далеких нежных дней,
И снова ты была со мной
Одной волной.

Плыву к забытым берегам,
К твоим заплаканным глазам,
Я предавал их столько раз
И свет их гас.

А ты, святая,
Жила, прощая
Измены все и вранье,
И вероломство мое.
Но жизнь — жестокая игра,
Я у себя тебя украл,
И проигравший — это я,
Не будь жестоким, мой судья!

Я вспомнил все, а ты забудь,
Как не могла в ту ночь уснуть,
Взрывая болью тишину,
Ты мне простила вину.
Я обжигался и сгорал,
И понял я, что проиграл,
Я заплатил за все сполна,
Ты мне нужна.

Плыву к забытым берегам,
К твоим заплаканным глазам,
Я вспомнил все, поверь, прости
И все грехи мне отпусти.

ПРОПАЩИЕ ДЕНЕЧКИ

Я так тебя любил, что стены падали
От твоего дыханья в темноте.
Не знаю, вспоминать так часто надо ли
Деньки, с тобой потерянные те.

Пропащие денечки,
Потерянные дни.
Ты делай все, что хочешь,
Но только не гони.
Завяли все цветочки,
Погасли все огни.
Пропащие денечки,
Потерянные дни.

Ты грешная, неверная, горячая,
Такая, что кружилась голова.
Но вышло так, что ничего не значили
Твои такие жгучие слова.

Пропащие денечки,
Потерянные дни.
Ты делай все, что хочешь,
Но только не гони.

Завяли все цветочки,
Погасли все огни.
Пропащие денечки,
Потерянные дни.

Я не такой, чтоб наперед загадывать,
Но знаю точно, вспомнишь ты не раз
О том, как я любил, как стены падали,
Как искры счастья сыпались из глаз.

НЕ ПРОЩУ!

После теплых ливней
Снова кружит белый снег.
Что же так несправедливо
Ты относишься ко мне?

Все дают советы —
От тебя совсем уйти.
Так выходит — в жизни этой
Нам с тобой не по пути.

В душе тебя не прощу.
В душе все твердо решу.
В душе расстались уже.
В душе. В душе.

От тебя я скроюсь,
Это пара пустяков.
Взял билет на скорый поезд,
Сел в вагон и был таков.

Навсегда уеду.
Адрес в тайне сохраню.
И ни разу до обеда
Я тебе не позвоню.

ДЕВОЧКА С ПРИМОРСКОГО БУЛЬВАРА

Солнце закатилось жарким шаром,
Разметался в море звездный свет.
Девочка с приморского бульвара
По ночам мне снится столько лет.

Где же вы, ночи летучие,
Где ж вы, протяжные дни?
Девочку самую лучшую
Бережно память хранит.
Не отпускает и мучает,
Старая рана саднит.
Где же вы, ночи летучие?
Где ж вы, протяжные дни?

Цвет акаций лег на тротуары,
Шепот губ твоих глушил прибой.
Девочка с приморского бульвара,
Как мы были счастливы с тобой!

Где же вы, ночи летучие,
Где ж вы, протяжные дни?
Девочку самую лучшую
Бережно память хранит.

Не отпускает и мучает,
Старая рана саднит.
Где же вы, ночи летучие?
Где ж вы, протяжные дни?

Двух сердец безумные пожары
Не смогли разлуку обмануть.
Девочка с приморского бульвара,
Не забыть тебя мне, не вернуть.

Где же вы, ночи летучие,
Где ж вы, протяжные дни?
Девочку самую лучшую
Бережно память хранит.
Не отпускает и мучает,
Старая рана саднит.
Где же вы, ночи летучие?
Где ж вы, протяжные дни?

Снова солнце всходит жарким шаром,
Чайки в море ринулись крича,
Девочка с приморского бульвара,
Перестань мне сниться по ночам.

ОДНА

Я в огне не горел,
Я в воде не тонул,
И не раз я решал все вопросы.
Но буквально на днях
Я увидел одну
И лечу без оглядки с откоса.

Я забыл, где бывал
И кого целовал,
Я не помню, кто сколько мне должен.
В моей жизни одна
Натворила обвал,
И другой вариант невозможен.

Для нее, дорогой,
Быть хочу я слугой,
Все капризы готов исполнять я.
Лишь бы только в ночах
Звезды гасли в очах
И покрепче сжимались объятья.

Не притронусь к вину
И признаю вину
Даже в том, в чем совсем не виновен.

204

Потому что, когда
Я увидел одну,
Переполнилось сердце любовью.

Я забыл имена
Всех, кто был до нее,
И, боюсь, не узнаю при встрече.
Потому что она
И нежна, и грешна,
И буквально и ранит, и лечит.

Я в огне не горел,
Я в воде не тонул,
И не раз я решал все вопросы.
Но буквально на днях
Я увидел одну
И лечу без оглядки с откоса.

НЕВЕДОМАЯ СИЛА

Ты что-то важное весь вечер говорила,
Но ничего твои не значили слова.
Меня влекла к тебе неведомая сила,
Земля качалась, и кружилась голова.

От глаз твоих я оторваться не могу,
От губ твоих я оторваться не могу,
Меня влечет к тебе неведомая сила,
И никуда я от нее не убегу.

Меня ты зельем приворотным напоила,
А если нет, то как же это может быть? —
Меня влечет к тебе неведомая сила,
Я и не думал, что умею так любить.

От глаз твоих я оторваться не могу,
От губ твоих я оторваться не могу,
Меня влечет к тебе неведомая сила,
И никуда я от нее не убегу.

Скажи, зачем меня о прошлом ты спросила?
Какая разница, что было до тебя?
Меня влечет к тебе неведомая сила,
У этой силы есть название — судьба.

ДОЧКИ-МАТЕРИ

Ты сказала — приходи, я буду дома.
До сих пор еще вы с мамой не знакомы,
И давно вам познакомиться пора.
Я пришел. Открыла дверь твоя сестра.
Симпатичная девчонка, вы похожи.
Но она чуть-чуть, пожалуй, помоложе.
Ты стояла, улыбаясь, позади,
И сказала: это мама, проходи.

В чем дело, дочки-матери,
Я знаю, дочки-матери.
Секрет ваш, дочки-матери,
Раскрыл я так легко:
Не яблоко от яблони
Неподалеку падает,
А яблоня от яблока
Растет недалеко.

Но отцы и дети — вечная проблема,
Но для вас не существует этой темы.
Правда, дочка чуть практичней и мудрей,
Взгляды мамы современней и острей.
Два часа мы с ней о музыке болтали.
Я теперь к ним каждый вечер захожу,
А причину, не сердитесь, не скажу.

БАБКИ-БАБУЛЬКИ

В темноте нашел я тапки,
Снова ночь прошла без сна.
Где же бабки? Где же бабки?
Без конца твердит жена.

Я бы мог стоять на лапках
И служить им, как дурак.
Счастье жизни только в бабках.
А без бабок — просто мрак.

Бабки, бабки, бабки-бабульки.
Жизнь без вас, как темная ночь.
Бабки, бабки, бабки-бабульки,
Кто без вас мне может помочь?

У соседей все в порядке,
Тишь, покой и благодать.
Там всегда на месте бабки,
Мне же хочется рыдать.

По натуре я не тряпка,
На своем стоять могу.
Но за тем, чтоб были бабки,
На край света побегу.

Бабки, бабки, бабки-бабульки.
Жизнь без вас, как темная ночь.
Бабки, бабки, бабки-бабульки,
Кто без вас мне может помочь?

Раньше было по-другому,
Мы не ведали забот.
Бабки были вечно дома,
А теперь наоборот.

Мы ребенка не касались,
Бабки нянчили, но вдруг
Обе бабки взбунтовались
И уехали на юг.

ШЕРШЕ ЛЯ ФАМ!

Еще до нашей эры,
В какой-то древний век
Воскликнул из пещеры
Лохматый человек:
Р-р-р! Мамонт недоперченный
Мне подан на обед!
Во всем вините женщину —
Причину разных бед.

Шерше ля фам — виной всему она одна.
Шерше ля фам — любой вам скажет из мужчин.
Шерше ля фам — она причина всех причин.

Века стремглав летели
В искусстве Ренессанс.
Сердца огнем горели
И бились, как фаянс.
Отважно шпаги скрещены
В предчувствии побед.
Во всем вините женщину —
Причину разных бед.

Шерше ля фам — виной всему она одна.
Шерше ля фам — любой вам скажет из мужчин.
Шерше ля фам — она причина всех причин.

Ты в этом убедиться
Заставила меня.
Зачем-то стала сниться
В последние три дня.
Прошла по сердцу трещина,
Не мил весь белый свет.
Во всем вините женщину,
Причину разных бед.

ШУТ ГОРОХОВЫЙ

Человек устроен сложно,
И живет он осторожно.
Человеку не до смеха,
Путь его тернист и крут.
Ну а раньше было проще —
Выходил народ на площадь
И устраивал потеху
Умный, добрый шут.

Эй, шут гороховый, нас рассмеши,
Чтоб хохотали мы от всей души.

В наше время все непросто,
Часто мучают вопросы,
То долги, то невезенье,
Сто преград и там, и тут,
Но с утра, в обед и в полночь
К вам всегда придет на помощь
И поднимет настроенье
Умный, добрый шут.

Эй, шут гороховый, нас рассмеши,
Чтоб хохотали мы от всей души.

Чтобы вам всегда фартило,
В небе солнышко светило,
И чтоб в нужную минуту
Раскрывался парашют,
О хорошем думать нужно,
И воскликнуть хором дружно:
Выходи, колпак лоскутный,
Умный, добрый шут.

Эй, шут гороховый, нас рассмеши,
Чтоб хохотали мы от всей души.
Эй, шут гороховый, мне говорят,
И это слышать я ужасно рад!

КОГДА СО МНОЙ ТАКАЯ ЖЕНЩИНА

Луна по комнате плыла,
А ночь была короткою.
Она в судьбу мою вошла
Волнующей походкою.

Я сдался в плен без лишних слов,
Не думал ни мгновения,
Мне настоящая любовь
Дала благословение.

Когда со мной такая женщина,
Я сам мужчиной становлюсь.
И сразу сердце бьется бешено,
И не выдерживает пульс.
Она и нежная, и грешная,
Я потерять ее боюсь.
Когда со мной такая женщина,
Я сам мужчиной становлюсь.

Для этой женщины пойду
Я на любые подвиги,
Пусть мне потом гореть в аду,
Я жизнь ей брошу под ноги.

Я все дела забыть готов,
Порвать все связи прежние,
Чтоб только мне свою любовь.
Дарила эта женщина.

Она летящего коня
Притормозит на скорости,
И на горящего меня
Прольет прохладу гордости.

Я так глаза ее люблю,
И голос с нежной трещиной.
И никому не уступлю
Любовь прекрасной женщины.

В АПЕЛЬСИНОВОМ САДУ
(Моя поздняя радость)

Город мой заснежен,
Я в нем одинок.
Слышу в снах я грешных
Шепот волн у ног.
Остров в океане,
Замок из песка,
Ты мне так близка,
Моя поздняя радость.

Тот день был солнцем переполнен,
И разбивались в брызги волны,
В том апельсиновом саду
В растаявшем году.
А мне не верится, что где-то
Прошло, сгорело наше лето,
В том апельсиновом саду
В растаявшем году.

(Но это лето не забылось,
Лишь в уголок души забилось
В том апельсиновом саду
В растаявшем году.)

216

На часах песочных
Прежних дней отсчет.
Серебристой точкой
Тает самолет.
Унесла наш замок
Времени волна,
Только в зимних снах
Моя поздняя радость.

А Я ЕЙ НУЖЕН?!

Не такая она, не такая,
Я скажу, точно зная предмет.
Я у многих в объятиях таял,
Но таких, как она, больше нет.

В нашей жизни, где все на продажу,
Цены мне по карману вполне.
Сразу я не врублюсь в это даже —
Что же ей не хватает во мне?

Карман загружен,
Прикид утюжен,
И голова идей полна.
Но я ей нужен,
Как хрен на ужин!
Моя любовь ей не нужна!

Предлагаю ей все, что захочет, —
На Багамы, в Париж, в казино,
Подарить мне хоть краешек ночи
Не желает она все равно!

Я забыл, что такое отказы,
Все мое — этажи, гаражи.
Но она мне испортила праздник
Под коротким названием — Жизнь!

КИНОЛЕНТЫ ПРО ЛЮБОВЬ

На черном небе о любви нам шепчут звезды,
На черном море о любви поет прибой.
Бульвар Приморский напоил любовью воздух,
Сезон любви, сезон кино — он стал судьбой.

Конечно, можно раствориться в умных книжках,
С женой сразиться на костяшках домино.
С друзьями можно перекинуться в картишки,
Но для меня важней других искусств кино.

Цветы магнолий опьянят приморский вечер
Сильней, чем старое хорошее вино.
Сезон любви пускай продлится бесконечно,
В кино, как в жизни, ну, а в жизни, как в кино.

И мы смотрим вновь и вновь
Киноленты про любовь,
И с героями их жизни проживаем.
Я давно влюблен всерьез
В мир волшебных киногрез,
И без них своей судьбы не представляю.

ЖИЗНЬ ПРОЖИТЬ

Не закажешь судьбу, не закажешь,
Что должно было сбыться, — сбылось.
И словами всего не расскажешь,
Что мне в жизни прожить довелось.

Что мне в юности снилось ночами,
Что ночами мне снится сейчас,
Отчего весел я и печален,
Это грустный и долгий рассказ.

Я листаю былого страницы,
Все там — дружба, потери, любовь.
Не остаться тем дням, не забыться,
Не вернуться прошедшему вновь.

Пусть мне ветер волос не взъерошит,
И серьезен за здравье мой тост,
Жизнь до срока мне крылья не сложит,
А до срока еще, как до звезд.

А жизнь прожить, а жизнь прожить,
Не поле перейти.
Судьба шептала мне — держись!
Кричала — отойди!

Судьба меня бросала вверх
И сбрасывала вниз,
Но жить, боясь всего и всех, —
Какая ж это жизнь!!!

В ГОРОДЕ ЭН

В жизни я отчаянно
Жаждал перемен,
И попал нечаянно
В тихий город Эн.
Я попал нечаянно
В городок окраинный,
Там глаза печальные
Взяли меня в плен.

Ночь плыла бессонная
В перекатах гроз.
В небогатой комнате
Вышло все всерьез.
Эту ночь бессонную
Навсегда запомню я,
Там глаза бездонные
Не скрывали слез.

Город без названия,
Населенный пункт.
Робкие касания
Нежных губ и рук.

222

Город без названия,
Встречи-расставания,
Долгий миг прощания,
Слов последних звук.

АВТОМОБИЛЬНОЕ ОКНО

Зеркальные витрины, расплавленный асфальт
И город очумевший и шальной.
Ты за рулем машины, в глазах твоих печаль,
И мысли где-то, только не со мной.

А на афишах фильм, по миру нашумевший,
В кинотеатрах не была ты так давно,
Какой-то тип тебе сигналит надоевший,
Чтоб на минуточку открыла ты окно.

Ты время не тяни,
Открой окно, взгляни,
Себя так не ведут,
Ведь ты же все же леди,
Учти, я — джентльмен,
Уверенный в победе,
И,значит, ты окно
Откроешь все равно.

Поставила машину и щелкнула ключом,
В кафе прохладном только ты одна.
След от бретельки нежно перечеркнул плечо,
Ты мне другой казалась из окна.

А ты в бокале лед соломинкой мешаешь,
Мне на тебя смотреть и грустно, и смешно.
Я знаю, льдинка, ты в руках моих растаешь,
Забыв закрыть автомобильное окно.

На празднике «Черешневый сад» в Петербурге

АФРИКАНКА

Ее в темноте я увидел не сразу,
Верней, не увидел, а просто почуял.
Смотрели призывно два огненных глаза,
И я сразу понял, чего же хочу я.

Африканские страсти
Горячее огня,
Африканские страсти
Обжигали меня.
Целовала, колдуя,
Колдовала, целуя,
Дама пик черной масти,
Африканка моя.

Изгибы бедра и округлость колена,
Послушная пальцам кофейная кожа.
И был я заложником сладкого плена,
И воля была для меня невозможна.

На тонких запястьях звенели браслеты,
Когда она утром со мною прощалась.
А в жгучих глазах золотистого цвета
Слезой непролитою нежность плескалась.

227

ДЕВЧОНКА ГЮЛЬЧАТАЙ

Черной ночи гладкий шелк
Вышит первою звездой.
Будет ночью хорошо
Мне с девчонкою одной.

Я украдкой в дом войду.
Дверь на ключ не запирай.
Поцелуй я украду
С губ девчонки Гюльчатай.

Перед сном ты, Гюльчатай,
Скучных книжек не читай.
Я скажу тебе слова
Те, что слаще, чем халва,
Девчонка Гюльчатай, не зажигай огня!
Девчонка Гюльчатай, не прогоняй меня!
Девчонка Гюльчатай, ресниц не опускай!
Девчонка Гюльчатай, ласкай меня, ласкай!

Над кальяном вьется дым
Твой отец сердит и строг.
Если б был он молодым,
Он меня понять бы мог.

228

Нашу тайну скроет ночь,
Нас не выдаст свет луны.
Не сердись, отец, что дочь
Рядом с милым смотрит сны.

СТАЙКА

Птицу видно по полету,
Кто она, куда летит.
Так судьбу придумал кто-то —
Наши встретились пути.

Мы, увидевшись когда-то,
Крепко за руки взялись,
Стали мы сестрой и братом,
Наши судьбы заплелись.

Издалека заметна наша стайка,
Мой мощный торс, и твой разлет бровей,
Балтийская таинственная чайка,
И курский голосистый соловей.
И нету на земле дружнее хора,
И пары нет заметней красоты,
Чем чайка из балтийского простора,
И соловей из курской широты.

В тридцать первый день весенний
Появились мы с тобой,
Может, это совпаденье
Называется судьбой.

Кружат птицы в поднебесье
И поют на все лады,
Но особенную песню
Знаем только я и ты.

РОКОВАЯ ЖЕНЩИНА

Как назло, мне везло
На красивых женщин,
Обнимал, целовал,
Перед каждой грешен.

Обнимал, понимал —
Я один, их много,
Но одна, так нежна,
Перешла дорогу.

Роковая женщина
Спутала все карты,
Роковая женщина,
Счастье — это блеф.
Роковая женщина,
Я — игрок азартный,
Роковая женщина —
Некто Дама Треф.

Я пропал, я попал
В спутанные сети.
Весь в дыму, не пойму,
Кто за все ответит?

К ней бегу, не могу,
Просто волком вою.
А к утру я умру
С этой роковою.

БРЫЗГИ ШАМПАНСКОГО

Пенится опять шампанское,
Бокалы вздрогнули в руках,
Раздался нежный тонкий звук,
Родная, верится, мы будем счастливы,
Опять с тобою мы вдвоем —
И нет разлук.

Карие глаза горячик
Так нежно смотрят на меня,
Как будто много лет назад.
Родная, кажется, вся жизнь заплачена
За этот миг, за этот час,
За этот взгляд.

Мой путь к тебе, твой путь ко мне
Позаметали метели.
Мы и в зимние вьюги
С тобой друг о друге
Забыть не сумели.
Но пробил час,
Звучит для нас
Мотив забытого танго.
На губах твоих

Лунный свет затих,
Танцуем танго для двоих.
Ночь нежна,
Так нежна.
Танго звук,
Нежность рук.
Ночь нежна,
Так нежна.
Этой волшебной ночью
Одна на свете лишь ты мне нужна.

Прогони все мысли грустные,
Горчит шампанское немного на губах твоих
От слез.

КЛЮЧНИК

Говорят, что жизнь всему научит,
Объяснит — где как и что к чему.
Жил на свете старый мудрый ключник.
Люди шли с вопросами к нему.

Он гремел тяжелыми ключами,
То замок откроет, то засов.
Запирал тревоги и печали,
Отпирал надежды и любовь.

    Если кто-то к тебе
    Достучаться не смог,
    Значит, сердце твое
    Закрывает замок.
    Знаю тайну замка.
    Слышишь, где-то в ночи
    Старый ключник к тебе подбирает ключи.

Мы с тобой отправимся в дорогу
В час, когда в наш дом влетит рассвет.
Жизнь как жизнь.
Вопросов очень много.
На один нужнее всех ответ.

236

Долог путь, и часты в небе тучи,
А порой падет на землю луч.
Но живет на свете старый ключник.
Он найдет нам очень важный ключ.

ОШИБКА МОЛОДОСТИ

Я по жизни колесила
От беды к удаче.
Что имела, не хранила,
Потерявши, плачу.
Я тебя своей ошибкой
Назвала когда-то.
И печально поспешил ты
В сторону заката.

Ты моя ошибка молодости,
Ты моя ошибка молодости,
Поняла лишь, когда холод настиг,
Ты за то, что так случилось, прости.

Мне тогда казалось, просто
Все начать сначала,
Не заметила, как осень
В сердце постучала.
Помнишь, шли с тобою рядом
В сторону рассвета.
Повернула ты обратно,
Да дороги нету.

АКВАЛАНГИСТ

Я бы мог прожить спокойно,
Я бы мог прожить спокойно,
Дням, идущим чередою, мог вести неспешный счет.
Но меня на дно морское,
Но меня на дно морское,
Очутиться под водою сила тайная влечет.

Серебристым аквалангом я на солнышке блесну,
В серебристом акваланге в море синее нырну.
Что мне к ужину трепанги, и без них я обойдусь,
В серебристом акваланге к тайнам моря прикоснусь.

И в квадратное окошко,
И в квадратное окошко
Каракатицу морскую очень близко рассмотрю.
А потом совсем немножко,
А потом совсем немножко
С осьминогом потолкую, с крабом я поговорю.

Я бы мог не возвращаться,
Я бы мог не возвращаться,
Ты б могла по воскресеньям навещать меня на дне.
Только будешь обижаться,
Только будешь обижаться,
И однажды в день весенний вдруг забудешь обо мне.

239

НА ОБРАТНОМ ПУТИ

Хрустальные замки укрылись в тумане,
Растаял волшебный манящий мираж.
Мы знать не могли, что дорога обманет,
Что сон никогда не исполнится наш.

На обратном пути, на обратном пути
Там, где были цветы, лишь деревья в снегу.
На обратном пути, на обратном пути
Изменить я уже ничего не могу.

Умчались за горы веселые птицы,
Не скоро в наш край возвратится весна.
Несбывшийся сон нам уже и не снится,
Дорога обратно трудна и грустна.

На обратном пути, на обратном пути
Там, где были цветы, лишь деревья в снегу.
На обратном пути, на обратном пути
Измениьт я уже ничего не могу.

Поранят ладони колючие звезды,
Ты их не удержишь, лови не лови.
Мы встретились поздно.
Все поняли поздно.
И вспонили поздно с тобой о любви.

ДО РАССВЕТА

Наспех горькие слова
Камнем брошены.
Ты не знаешь, как они
Душу ранили.
И ушла я от тебя
По-хорошему
В нежный розовый рассвет,
В утро раннее.

Зря причины не ищи — не разведаешь,
Зря по дому не броди неприкаянно.
Может, если бы ушла до рассвета я,
Не поранилась бы камнем нечаянно.

Ночь по комнате плывет краской синею.
Разгорелась в темноте россыпь звездная.
Что-то важное тебя не спросила я,
А теперь уж не спрошу — время позднее.

Может, встретися ещзе в тесном мире мы,
Улыбнувшись, ты вздохнешь — дело прошлое.
Только знай — мы никогда не помиримся.
Не уходят от любви по-хорошему.

ЦВЕТА ПОБЕЖАЛОСТИ

Ливни осени хлещут без жалсоти,
В Лету кануло лето бесследное,
И в деревьях цвета побежалости
Робко спрятали листья последние.

Привела нас дорога размытая
На окраину лета шумевшего.
И аукнулось что-то забытое,
И откликнулось неотболевшее.

Так порой на окраине памяти
Наши мысли случайно встречаются,
Там июльские лилии в заводи,
Ни оч ем не печалясь, качаются.

К опустевшему клену прижалась ты,
Небо хмурое в ветках рассеяно.
В наших чувствах цвета побежалости
И сквозящие ветры осенние.

НОЧЬ РАЗБИЛАСЬ НА ОСКОЛКИ...

Я вчера к себе на ужин
Позвала подругу с мужем.
Она замужем недавно и ужасно влюблена.
Я с улыбкой дверь открыла,
Увидала и застыла,
И не ведала подруга, что наделала она.

Не заметила подруга
Наших взглядов друг на друга
И болтала увлеченно о каких-то пустяках.
А шампанское искрилось,
Что в душе моей творилось,
Знал лишь ты и, сидя молча, сигарету мял в руках.

Время быстро пролетело,
Спать подруга захотела,
И, прощаясь в коридоре, протянул мне руку ты.

Гулко лифт за вами щелкнул,
Ночь разбилась на осколки,
На хрустальные осколки от несбывшейся мечты.

ДАВАЙ ПОАПЛОДИРУЕМ...

Давай позабудем, что поздняя осень
В деревьях оставила бронзовый след.
Давай все дела и заботы забросим,
В театр пойдем и посмотрим балет.

Под музыку грянут на сумрачной сцене
Любовь и надежда, разлука и боль.
И, кажется, мы в волшебстве превращений
Играем какую-то важную роль.

А дождь аккомпанирует
То радостно, то грустно.
Давай поаплодируем
Прекрасному искусству,
Прекрасному,
Прекрасному,
Прекрасному искусству.

Давай позабудем, что нету билетов,
Заполнены ложи, балкон и партер.
Начнется без нас увертюра к балету,
А мы побредем в облетающий сквер.

Танцуют адажио листья в круженьи,
Промокший октябрь завершает гастроль.
И кажется, мы в волшебстве превращений
Играем какую-то важную роль.

НИТИ СУДЬБЫ

Опять в саду алеют грозди,
Как подобает сентябрю.
Ты был моим недолгим гостем.
Но я судьбу благодарю.
Мы были оба несвободны,
И в этом некого винить.
И не связала нас на годы
Судьбы запутанная нить.

С той далекой нашей ночи
Изменился ты не очень,
Хоть глаза глядят серьезней
И в улыбке грусти след.
«С той далекой ночи нашей
Ты совсем не стала старше,
Хоть сто зим прошло морозных
И сто долгих, грустных лет».

Летучей молнией сверкнула,
В жизнь ворвалась и все сожгла,
Нас жизнь с тобой не обманула,
Она нас просто развела.

Но в жизни все идет по кругу,
Так предназначено судьбой.
И несвободны друг от друга
Все эти годы мы с тобой.

ЗИМНЕЕ ТАНГО

Мы сидели друг напротив друга,
Золотилось легкое вино.
За окном скулила песни вьюга,
И лазутчик-холод полз в окно.

Ты ко мне пришел дорогой длинной,
Ей, казалось, не было конца.
Отогрел холодный вечер зимний
Наши одинокие сердца.

Это было так странно —
В небе зимнее танго
Под мелодию грусти
Танцевала звезда.
Это было так странно,
Это зимнее танго
Нас с тобой не отпустит
Никуда, никогда.

Проведи холодною ладонью
По щеке пылающей моей.
Ты так долго был мне посторонним,
Ты так быстро стал мне всех родней.

248

Что случилось с зеркалом, не знаю,
Разве врать умеют зеркала?
На меня глядит совсем другая,
А не та, которой я была.

НА ПОКРОВКЕ

По старенькой Покровке
Крадется ночь-воровка,
Колдует и пугает, ведет свою игру.
А я, ее сыночек, гуляю этой ночью
И сам пока не знаю,
Где окажусь к утру.

На Покровке я родился,
На Покровке я крестился,
На Покровке я влюбился,
Коренной ее жилец.
На Покровке, на Покровке
Вьется жизнь моя веревкой,
А веревке, как ни вейся,
Будет где-нибудь конец.

На старенькой Покровке
Весенняя тусовка,
В зеленые одежды закутались дворы.
А я пройду по маю и чей-то взгляд поймаю,
Хоть я уже не в гору,
Но все же не с горы.

На Покровке я родился,
На Покровке я крестился,
На Покровке я влюбился,
Коренной ее жилец.
На Покровке, на Покровке
Вьется жизнь моя веревкой,
А веревке, как ни вейся,
Будет где-нибудь конец.

На старенькой Покровке
К трамвайной остановке
Пойду я на свиданье, как в прежние года.
Покровские ворота закрыты для кого-то,
А для меня, я знаю,
Открыты навсегда.

НЕ ДОЛГО ДУМАЯ

Ночь была теплой, как чай недопитый.
Воздух таким упоительным был.
Понял я вдруг, ты и есть Афродита,
Пену я сдул и тебя полюбил.

Я любовался изгибами тела,
Греческий миф для себя я открыл.
Был я влюблен, только ты не хотела,
Чтоб я тебе о любви говорил.

Не долго думая, с небес
Ко мне в ту ночь спустился бес.
Не долго думая, мне голову морочил.
Но оказалась ты не той
Моей несбывшейся мечтой,
Одной из тысячи ночей недолгой ночью.

Что ж ты, богиня, меня не спросила —
Что я люблю и чего не люблю?
Искру зажгла и сама ж погасила,
И вся любовь покатилась к нулю.

Теплая ночь приближалась к рассвету,
Куталась ты в одеяло из сна.
Понял я вдруг — ничего в тебе нету,
Ты не богиня, а пена одна.

УДИВИТЕЛЬНО!

Подцепили изящно вы каперсу
Леденящим копьем серебра.
Взгляд горящий, летящий по адресу,
Намекнул мне прозрачно — пора!
Недопитый глоток бенедиктина
Покачнул изумрудную тень.
Ах, какой же был день удивительный,
Ах, какой удивительный день.

Занавески поплыли к сближению,
Ненароком спугнув мотылька.
Как прелестна в капризном движении
Мне обвившая шею рука.
Опасаясь вам быть утомительным,
Быстро сбросил одежды я прочь.
Ах, какой была ночь удивительной,
Ах, какой удивительной ночь.

Бледный свет по подушкам рассыпался,
За окном новый день поджидал.
Мой бокал опрокинут, я выпил все,
Вы простите меня за финал.

Вы в любви были так убедительны,
Я ценю ваш старательный пыл.
Быстро вас я забыл, удивительно,
Удивительно быстро забыл!

ТРИ ДНЯ

Мы были очень близкими
С тобою столько раз.
Меня ты сбила выстрелом
Своих холодных глаз.

Я думал, ты обиделась,
Чужой вдруг стала ты.
Мы лишь три дня не виделись,
А ты сожгла мосты.

В эти три дня, что не виделись мы,
Столько воды утекло.
В эти три дня, что не виделись мы,
Ветром задуло тепло.
В эти три дня, что не виделись мы,
Хмурых и долгих три дня,
В эти три дня, что не виделись мы,
Ты разлюбила меня.

Не получилось повести,
А просто так, рассказ.
Ты в гулком скором поезде
По жизни пронеслась.

По ночи чиркнув искрами,
Свет глаз твоих погас.
А ведь такими близкими
Мы были столько раз.

СНЕЖНАЯ КОРОЛЕВА

Ветер закружил…
Я запомнил мгновение — снег закружил,
И возникло видение — снег закружил,
Льдинки глаз и твой голос застывший.

Кто же, ты мне скажи,
Этот холод твой выдумал, ты мне скажи?
Твое сердце так выстудил, ты мне скажи?
Стала ты навсегда разлюбившей.

Замок твой ледяной
Солнце не греет.
Грустно жить в нем одной,
Дверь приоткрой…
Снежная королева.

Если можешь, поверь, если можешь,
                                    поверь — я люблю,
Снежная королева.
Холод в сердце твоем, холод в сердце твоем
                                    растоплю.

И лишь только на миг
Ты меня взглядом тронула, только на миг,
И рассталась с короною только на миг,
Ты обычной девчонкой вдруг стала.

258

Этот странный твой мир.
Ты от жизни в нем прячешься, странный твой мир,
Мнишь себя неудачницей, странный твой мир,
От холодного плена устала.

НОЧКА ЗИМНЯЯ...

Ночка зимняя затянулась,
Я к утру ее тороплю.
Рана прежняя затянулась —
Больше я тебя не люблю.

Ночка зимняя больно длинная,
Поскорей бы настал рассвет.
И другой мне скажет «любимая»,
Я «любимый» скажу в ответ.

Росы зимние стынут в инее.
Льдом покрылась дорожка в сад.
Видно, поздно окликнул ты меня —
Не вернусь я уже назад.

Ночка зимняя больно длинная,
Поскорей бы настал рассвет.
И другой мне скажет «любимая»,
Я «любимый» скажу в ответ.

Март настанет, и снег растает,
Воды вешние уплывут.
Твоя нежность меня не застанет,
И слова твои не зазовут.

СИРЕНЕВЫЙ
ТУМАН

НОВЫЕ СТИХИ

Подиум — моя страсть

СИРЕНЕВЫЙ ТУМАН

Девятый класс, химичка — дура,
Мы все балдеем от Битлов
И намекает мне фигура,
Что приближается любовь.

И я, поняв намек фигуры,
Коньки напильником точу,
И в Парк культуры, в Парк культуры
На крыльях радости лечу.

Каток блестит, огнями залит,
Коньками чиркаю по льду
А рядом одноклассник Алик
Снежинки ловит на лету.

И я, от счастья замирая,
Уже предчувствую роман.
В аллеях музыка играет,
Плывет сиреневый туман,

Рыдает громко репродуктор
Над голубою гладью льда.
О том, как не спешит кондуктор,
Горит полночная звезда.

До счастья метр, еще немножко,
Ему навстречу я скольжу,
Но Алик ставит мне подножку,
И я у ног его лежу.

Как он был рад, что я упала,
Скривил лицо, меня дразня —
Ну, фигуристка ж ты, Рубала! —
И укатился от меня.

Прошло сто лет. На пляже жарком
Я проводила отпуск свой.
И про туман Владимир Маркин
Пел над моею головой.

Под песню вспоминая детство,
Я вдруг растрогалась до слез.
И тут в шезлонге по соседству:
— Рубала! — кто-то произнес. —

А ты совсем не изменилась! —
Был Алик рад от всей души. —
И если ты не загордилась,
Ты мне книжонку подпиши.

Мы оба были встрече рады,
Вошли в вечерний ресторан.
И пела девушка с эстрады
Там про сиреневый туман.

Мы были пьяными немножко,
Плыл ресторан в густом дыму.
Мы танцевали. И подножку
Я вдруг подставила ему.

Лежал он посредине зала
У ног моих, как я тогда.
— Ну, фигуристка ты, Рубала! —
Сказал и скрылся. Навсегда.

ЮБИЛЕЙ КОНЦЕРТНОГО ЗАЛА «РОССИЯ»

На юбилей такого зала
Хотела я создать поэму,
Но тетка мне одна сказала —
Я дам тебе, Лариса, тему.

Поздравляю с юбилеем,
Но позвольте мне сейчас
Изложить вам, как сумею,
Этой женщины рассказ.

…Я жила одна на свете,
Никому не нужная.
У других мужья и дети,
И котлеты к ужину.

Я ж уставлюсь в телевизор —
В моем темном царстве свет,
И гляжу чужие жизни,
Раз своей-то жизни нет.

О какой-то жизни личной
Я мечтать не думала,
На концерт билетик лишний
Мне соседка всунула.

Что ж, пойду, коль пригласили,
Подвела чуть-чуть глаза,
И поехала в «Россию»,
Главный наш концертный зал.

А концерт был — то что надо,
Пели звезды всей страны,
Сел мужик со мною рядом.
Симпатичный. Без жены.

Правым глазом я на сцену,
Ну а левым на него.
Хоть я всем им знаю цену,
Этот вроде ничего.

Мы пошли в буфет в антракте,
Он купил конфеток мне,
И сказал, что мой характер
Ему нравится вполне.

Из «России» вместе, в общем,
Возвращались мы домой,
Целовались, дальше — больше,
И к утру мужик был мой.

Расписались мы красиво,
И неделя не прошла.
Знаешь, если б не «Россия»,
Где бы я его нашла?!

267

Так одна б и куковала,
Да одна б ложилась спать.
Видно, свойство есть у зала —
Людям судьбы исправлять.

Если ты пойдешь в «Россию»
Выступать, или чего,
Передай им там спасибо
От меня и от него.

Я это все вам рассказала,
И вот до сути добралась.
Ведь жизнь моя с судьбою зала
Уже давно переплелась.

Я все люблю — людей, и стены,
Все перечислить не смогу!
За то, что я на этой сцене,
Перед Всевышним я в долгу!

Дай бог вам всем побольше силы!
И долгих, добрых, светлых лет!
Живи, концертный зал «Россия»!
И всем дари свой добрый свет!

Я ЗАБЫВАЮ

Какая странная погода,
Вокруг тумана пелена.
Из жизни вычеркнув три года,
Спокойно я живу одна.

Хожу к подруге по субботам,
Она, как я, разведена,
Забыв про разные заботы,
Нальем по рюмочке вина.

Плывет свеча в нехитрый ужин,
Забыты прежние мужья,
Ни ей, ни мне никто не нужен,
Она ничья и я ничья.

Я забываю, забываю,
Твое лицо уходит в тень.
Я остываю, остываю,
Как на закате жаркий день.

Но снова день в туман закутан,
И замедляют стрелки бег,
В такие грустные минуты
Я вспоминаю о тебе…

269

ТАМ, НА ВИРАЖЕ

Я боюсь оглянуться назад,
Там ты — Южный, я — Северный полюс.
Видеть твой обжигающий взгляд,
Слышать твой остужающий голос.

Вспоминать я боюсь и забыть
Ночь в холодном, заброшенном доме.
Нам с тобою там больше не быть,
Так зачем я, скажи, это помню?!

Там, на вираже,
Ты, как в гонках сложных,
В яростном броске
Мчишь на красный свет.
И в моей душе
Так неосторожно,
Словно на песке,
Оставляешь след.

Я боюсь оглянуться назад,
Снова быть отрешенной и грешной.
Облетает цветущий наш сад,
В зимний сон погружаясь неспешно.

Будут дни холодней и темней,
Мне однажды покажется, может,
Что ты тоже грустишь обо мне,
И ту ночь вспоминаешь ты тоже.

Я боюсь, что накатит волной
То, что мне пережитым казалось,
И тебя там не будет со мной,
Только грусть где-то в сердце осталась.

Грусть пройдет, так бывало не раз,
Вспоминать тебя буду без боли.
Только это потом, а сейчас
Сердце бьется, как птица в неволе.

БЕЗУМНЫЙ АККОРДЕОН

Дышала ночь магнолией в цвету,
Звезду поймал ты в руки на лету
И протянул, смеясь,
А я вдруг обожглась
Об эту неземную красоту.

Нас аромат магнолий опьянял,
Ты со звездою сравнивал меня,
И, ночью изумлен,
Звучал аккордеон,
Даря нам танго, полное огня.

Безумный аккордеон
Как будто тоже был влюблен,
И танго страсти играл
Нам до утра.

Сводил с ума внезапный звездопад,
Я что-то говорила невпопад,
Меня ты целовал,
И что-то колдовал
Твой жаркий и опасный карий взгляд.

Казалось мне, что это все всерьез,
Куда же вдруг исчез весь твой гипноз?
Аккордеон все пел,
Как будто бы хотел
Продлить мгновенья сладких, нежных грез.

Виноват во всем, наверно, тот аккордеон,
Виноват
Музыкант,
А ты — лишь сон, мой сладкий сон.

ЛЮБОВЬ БЕЗОТВЕТНАЯ

Город у моря,
Плещутся волны,
Ночи короткие, летние.
Может, потом ты
Даже не вспомнишь
Эту любовь безответную.

На твоей ладони горячий песок,
Ты ничего понять в это лето не смог,
А я в тебя влюбилась,
Любовь закатилась
За небо рассветное.
Лето пролетело, его не вернешь,
Цена воспоминаньям — лишь ломаный грош,
И в городе том южном
Была тебе ненужной
Любовь безответная

В осень уедешь,
Зонтик раскроешь,
Время растает бесследное.
Может, потом ты
Даже не вспомнишь
Эту любовь безответную.

ЗОЛОТАЯ НИТЬ

Где-то, когда-то, а может быть, даже во сне
В жизнь мою войдешь негаданно,
И снова, как раньше, притронешься нежно ко мне
И забуду я все обиды.

А золотая нить запуталась, путалась, вилась,
Та, что связала нас.
Душа привязана, связана с тобой
Нитью золотой.
Томлюсь, как пленница, пенится волна
В море моей любви,
Бьется в берег моей печали.

Как я боялась порвать эту тонкую нить,
Ты не смог понять, любимый мой.
А я, как и прежде, сумею понять и простить,
Чтобы только мы были вместе.

ПОЛЕТ

Никогда я не была симпатичной,
Стройной тоже никогда не была,
Оттого то и в моей жизни личной
Невеселые творились дела.

За подругами бежала удача,
А меня как встретит, сразу же прочь
Это щас я, вспоминая, не плачу,
А тогда ревела каждую ночь.

Перед зеркалом щипала я брови,
Удлиняла стрелкой линию глаз.
Мое сердце распирали любови,
Безответные притом каждый раз.

А подруги, собираясь на танцы,
Так решали мой вопрос непростой: —
— Зря ты плачешь! Все ребята — засранцы!
А характер у тебя золотой!

Про характер-то понятно, конечно,
Только толку что-то нет от него.
Так проплакала я возраст свой нежный,
Ну а дальше было много всего.

Все рассказывать — и года не хватит,
Да зачем напрасно душу терзать?
Только вспомнила я все это кстати,
Чтобы вот вам что сейчас рассказать.

Как-то раз один мужчина приличный
В самолете со мной рядом сидел,
И назвал меня такой симпатичной,
И загадочно вдруг так поглядел!

От смущенья я закашлялась даже,
Хорошо была в стакане вода.
И ответила с улыбкой, что раньше
Симпатичной не была никогда.

И в ответ он улыбнулся мне тоже,
И сказал, прикрыв газетой кольцо:
— Вы — смешная, но с годами, похоже,
У вас вышла вся душа на лицо.

Тут я вспомнила о муже, о маме,
И решила, начиная дремать,
Что засранцы начинают с годами
В этой жизни кое-что понимать!

АХ, МАЭСТРО!

Звезд рассыпанных брильянты
Небо темное раскрасят.
И приснятся музыканту
Звуки музыки прекрасной.

Пальцы клавишей коснутся,
Вздрогнув, клавиши проснутся,
И откликнутся оркестры
Вам, маэстро! Вам, маэстро!

Маэстро, ах, маэстро!
Все ноты в вашей власти!
Маэстро, ах, маэстро!
Вы не жалейте страсти!
Вы сердца не щадите,
Вы тратьте щедро душу,
И музыка родится,
И в небесах закружит!

Ваш ночной покой нарушив,
Муза к вам войдет неслышно,
На любовь настроит душу,
Ноту главную отыщет.

И подхватят эту ноту
Флейты, скрипки и фаготы.
Вам подарит вдохновенье
Это чудное мгновенье.

ФЕЯ

Фея знала свое дело,
И, летая в небесах,
Днем и ночью то и дело
Совершала чудеса.
Фея кукол создавала,
Мастерила, колдовала,
Все, чего она касалась,
Оживало, просыпалось.
И в ее руках послушно
Обретали куклы души.
Ведь у кукол судьбы тоже
С человеческими схожи.

А потом свои трофеи
Раздавала людям фея,
Потому что это средство,
Чтобы вечно помнить детство.

ПЬЕРО И АРЛЕКИН

Печаль Пьеро светла,
Он любит Коломбину,
Но сердце отдала
Девчонка Арлекину.
По белизне щеки
Текут беззвучно слезы.
Летит флюид тоски
От этой скорбной позы.
А Арлекин смеется
Над всем происходящим.
Ему все удается,
Он рыцарь настоящий.
И, ветреная кукла,
Ликует Коломбина,
Известна ей наука,
Как приручить мужчину,
Женщины — коварные устройства,
Из-за них всегда одни расстройства.

Да, все мы печальны порой,
И счастливы вдруг без причины.
Ведь все мы немножко Пьеро,
Ведь все мы чуть-чуть Арлекины.

МНЕ ПРИСНИЛСЯ ЛАСКОВЫЙ МУЖИК

Мне приснился ласковый мужик —
Невысокий, а глаза, как блюдца.
И за ночь он так ко мне привык,
Что я утром не могла проснуться.

Он всю ночь меня не отпускал.
Обнимал до пупрышек на коже.
Ну никто меня так не ласкал
Ни до мужика, ни после тоже.

Такой был ласковый мужик,
Мне с ним всю ночь так сладко было.
Исчез он так же, как возник,
И, как зовут, спросить забыла.

Я ему шептала: — Уходи,
А сама боялась, что заплачу.
И остался на моей груди
Отпечаток губ его горячих.

Это сон был, только и всего,
Но с тех пор я в нем души не чаю.
Вдруг во сне вы встретите его,
Передайте — я о нем скучаю.

282

Старая дружба не ржавеет. С Лионом Измайловым

Я ЗАВЕЛАСЬ!

Все мне было неохота,
Все неинтересно.
Завелась с пол-оборота,
Без разбега, с места.
Взрыв в душе моей пропащей,
Сердце пробудилось.
Я не помню, чтобы раньше
Я так заводилась.

Я завелась! Я завелась!
Моя душа оторвалась,
С цепи как будто сорвалась
И улетела.
Ты надо мной взял круто власть,
Боюсь я, как бы не пропасть —
Моя душа так завелась,
А с ней и тело.

Видно, здесь колдует кто-то,
Кто-то здесь замешан —
Завелась с пол-оборота,
Стала самой грешной.

Выполняю с полуслова
Все твои приказы,
Ничего со мной такого
Не было ни разу.

Турбулентности в полетах
Я боялась раньше.
Завелась с пол-оборота,
И совсем не страшно.
Я в объятьях задыхаюсь,
Обжигаюсь взглядом,
Ни в каких грехах не каюсь
В миг, когда ты рядом.

ЦВЕТЫ ЗАПОЗДАЛЫЕ

Как пряно пахнет сад вечерний
Настойным выдохом цветов.
Мы разговор ведем никчемный
Из опоздавших, горьких слов.

Струится легкая прохлада,
Предполагая дождь к утру.
И этот горький выдох сада
Уже развеян на ветру.

Какие странные сравненья —
При чем здесь дождь и разговор?
Уснувший сад, деревьев тени,
Все так и было до сих пор.

Но кто-то в дом захлопнул двери,
Унес ключи, забыл про нас.
И пряно пахнет сад вечерний
Для нас с тобой в последний раз.

Цветы, цветы запоздалые,
Цветы, цветы запоздалые
Ушедшей любви уже не вернут,
Назад не вернут.

Прости, но слушать устала я,
Прости, но слушать устала я
Слова, которым не верю я,
Слова, которые лгут.

ЗАЖИГАЛКА

Гости пили, говорили,
Танцевали и курили.
Громко музыка играла, заглушая голоса.
Ты пришел незваным гостем,
Говорил смешные тосты.
Ты поднес мне зажигалку, наши встретились глаза.

Говорила мне гадалка,
Чтоб боялась я огня.
Зажигалка, зажигалка,
Ты дотла сожгла меня.
Говорила мне гадалка,
Я не слушала, смеясь.
Зажигалка, зажигалка,
Как я больно обожглась!

Расходились гости к ночи,
Кто и с кем. Не помню точно.
Было дымно, было жарко, а меня бросало в дрожь.
Я сказать боялась слово,
Прикурить ты дал мне снова,
А рука моя дрожала, я боялась — ты уйдешь.

За окном явились тени,
Пол поплыл, качнулись стены.
Закатилась зажигалка, я гнала все мысли прочь.
Я не знала, кем ты станешь,
С кем предашь и как обманешь,
Как потом я буду плакать, проклиная эту ночь!

МЕСТО ПОД СОЛНЦЕМ

Всем на земле хватит места под солнцем,
Каждый найдет, что ему суждено.
Кто не найдет, тем смириться придется, —
Солнце на всех одно.

Что ждет нас завтра, мы точно не знаем —
Сладостный миг или горестный час.
Просто мы волю небес исполняем,
Все решено за нас.

Сердце греет весна, разрывая бутоны и почки,
Душу осенью студит дождливый унылый мотив.
А судьба расставляет порой неожиданно точки,
Где поставить — решает сама, никого не спросив.

Книгу судьбы мы листаем поспешно,
Хочется знать, что там дальше нас ждет.
Что в ней написано, то неизбежно
С каждым произойдет.

Дни пролетают со скоростью света,
Так что попробуй, в седле удержись.
Все мы лишь гости на празднике этом,
С тихим названьем — жизнь.

ОПОЗДАВШИЙ

Я ждала, стояла у окна,
Я ждала, по комнате ходила,
Я ждала, хмелела от вина,
Я ждала и время торопила.

А вчера, ведь ты еще вчера
Колдовал словами и губами,
Но игра, красивая игра,
Вот и все, что было между нами.

Лепестки цветов опавших
На сидении машины.
Их рассыпал опоздавший,
Мой несбывшийся мужчина.
Заблудившийся в дороге
И судьбой моей не ставший,
Опоздавший ненадолго
И на вечность опоздавший.

Я ждала, чтоб прозвенел звонок,
Я ждала, чтоб ты вошел и обнял.
Я ждала, но ты придти не смог,
Я ждала, а ты меня не понял.

Что потом? Не знаю, что потом,
Не смогу ответить, если спросят.
Лишь листом, оранжевым листом
Бьет в стекло рассерженная осень.

ЛОДОЧКА

Та ночь такая темная была,
Рука твоя, как лодочка, плыла,
А я была рекой
Под этою рукой
И лодку по течению гнала.

А лодочка качнулась на волне,
И что-то ты шептал такое мне,
Я слушала слова,
Кружилась голова,
И ползали мурашки по спине.

Ту ночь назад не вернуть,
Но ты ее не забудь,
Еще хоть раз приплыви
В лодке любви.

А часики натикали рассвет,
И больше ни реки, ни лодки нет,
Грустит пустой причал.
Где ты чуть-чуть скучал,
Когда на мой вопрос искал ответ.

Была любовь в одну лишь ночь длинной,
Теперь в реке любви мне плыть одной
А лодочка-рука
Уже так далека,
Ах, что же она сделала со мной!

Я тобою отравилась
Милый мой тогда,
Приплыви в ночь любви
Ко мне сюда, сюда-да-да.

НОВЫЙ БОЙФРЕНД

Мне все надоело —
Привычные лица,
Достали тусовки в угаре густом.
Но встретился ты,
Не успевший побриться,
В прикольном прикиде,
Таком непростом.

Мой новый бойфренд,
Очень классный бойфренд,
Хочу провести я с тобою викэнд.
С тобою уснуть
И проснуться с тобой,
Мой новый бойфренд,
Сладкий мой супербой!

Куда ж ты исчез?
Твой мобильник в отключке,
А я так хочу оторваться с тобой.
Мой новый бойфренд,
Ты всех бывших покруче,
Пришли мне сигнал,
Сладкий мой супербой!

ХОЧУ! ХОЧУ! ХОЧУ!

Днем и ночью стрелки вертятся
Круг за кругом, день за днем,
Чтоб на миг однажды встретиться
И чтоб вечно быть вдвоем.
Жизнь, конечно, штука сложная,
Я по кругу белкой мчу,
И, наверно, невозможного
Я хочу, хочу, хочу!

На окне узоров кружево
Нарисуют холода,
Может быть, не будет нужно нам
Расставаться никогда.
Имена и знак сложения
На стекле я начерчу,
И, чтоб ты принял решение,
Я хочу, хочу, хочу!

Тихо звезды ночь таежная
Осыпает в новый год,
И, возможно, невозможное
В эту ночь произойдет

Я, как в детстве, заклинание
В небо глядя, прошепчу —
Чтоб исполнились желания,
Я хочу, хочу, хочу!

ОВЕН

Ты — прекрасная дама,
Я — заметный мужчина,
Мог бы быть между нами
Очень бурный роман.
И сердечная драма,
И разрыв беспричинный,
И безумная тайна,
И коварный обман.

Быть могло совсем не так,
Может быть, во всем виновен
Наш небесный зодиак
И весенний хитрый Овен.
Может, так среди весны
Встали звезды на орбите.
Мы друг в друга влюблены
И на небо не в обиде.

Я люблю тебя страстно
И любви не скрываю,
Твои нежные губы
Я целую при всех.

298

В книгах связью опасной
Это все называют,
Только нас не погубит
Этот сладкий наш грех.

Мы с тобой снова вместе,
Я тобой очарован,
Я люблю твои плечи
И сияние глаз.
А в ночном поднебесье
Разгорается Овен,
А над ним кто-то вечный
Все решает за нас.

ГОВОРЯТ, ПОД НОВЫЙ ГОД...

Я расскажу вам небыль,
Совсем, как быль точь-в-точь.
В одном и том же небе
В одну и ту же ночь
Из тучи месяц вышел
Светить на тишину,
А над соседней крышей
Увидел он луну.

Не может быть, не может,
На правду не похоже —
На это кто-то все же
Мне будет возражать.
Чьей жизни колесница
Без чуда вдаль умчится,
И чудо не приснится,
Того мне, право, жаль.

Под кистью живописца
Картина ожила,
На ветках пели птицы,
И снег зима мела.

300

Бутоны распустили
Под снегом лепестки,
А люди вдруг простили
Друг другу все долги.

Но не было б у были
Красивого конца,
Когда б не полюбили
Друг друга все сердца.
Водили звезды в небе
Свой звездный хоровод.
Случилась быль, как небыль,
Как раз под Новый год.

КИНОТАВР

Как бы время не спешило,
Не стирала память след,
Остается все так живо
В километрах кинолент2.

Пусть напрасно утверждают —
Все не вечно под луной,
Кинотавры зажигают
Вечный звездный свет земной.

В темном зале на экране
Кто-то нам подарит вновь
И надежды, и страданье,
Смех, и слезы, и любовь.

Наша жизнь — кино цветное,
То печалит, то смешит,
Может душу успокоить,
Может вызвать боль души.

Все знаки зодиака
Изучены давно,

Но сколько звезд под знаком
По имени Кино.
То радостно, то грустно,
То страшно, то смешно,
И все это — искусство Кино.

*Снегурочка и Дед Мороз из Боскоди Чильеджи
поздравили меня с Новым годом*

АРИНЕ КРАМЕР

Однажды вечером на даче
На хлеб намазав конфитюр,
Юдашкин, Зайцев и Версаче
Вели беседу ОТКУТЮР.
На свет летели мотыльки,
Луна закрылась облаками,
Чай попивая, мужики
Болтали о прекрасной даме.
Спросил Версаче: — Кто такой
Бутик отгрохал на Тверской?
Юдашкин вздрогнул. Зайцев замер,
И грянул хор: — Арина Крамер.
Она всех кутюрье покруче,
И вещи у нее покруче.
Арина туго знает дело,
И пол-Москвы уже одела.
Аншлаг, а так же Песню года.
Сегодня на Арину мода.
Был Зайцев явно озабочен —
Да, наше дело плохо очень.
Юдашкин стал белее мела —
Да, с Крамер надо что-то делать.

Настал решающий момент.
Она — опасный конкурент.
Чай остывал. Летела ночь,
Борясь с превратностью судьбы,
Решали, как себе помочь
Три кутюрье, нахмурив лбы.

А в это время над Европой
Метался лайнер тут и там.
И заполнялись гардеробы
Крутых московских супердам.
И в «Пионере» на Тверской
Народ толпился день-деньской.
Его прекрасная хозяйка
Великодушна и мила,
Всех называя Котик, Зайка,
Полмагазина раздала.

И каждый уносил в руке
Пакетик с вензелем АК.

Есть у Арины Крамер тайна.
Без тайны женщина пуста.
Но знаю точно — не случайно
Поет она и неспроста.
Господь Арине голос сладкий
Ко всем талантам дал в придачу.
И осенила вдруг догадка
Трех кутюрье в ту ночь на даче.

Сказал Юдашкин: — Выход прост.
Нет на эстраде новых звезд.
Всем надоела Пугачева,
А, значит, нужен кто-то новый.
А Зайцев выкрикнул: — Ура!
Нам поп-звезду родить пора!
У Крамер есть диапазон,
Спокойно может спать Кобзон.
Она споет — всем звездам вмажет,
Ей псевдоним не нужен даже!
А мы все устраним помеху, —
И зазвенел счастливым смехом.

Подвиньтесь, звезды, на эстраде,
Она красива и умна.
Она придет в таком наряде
И так споет, что вам хана!
Да, ты звезда, Арина Крамер,
А чтобы свет твой не погас,
Я помогу тебе стихами,
А ты мне платьем. Как сейчас.

ЭДУАРДУ УСПЕНСКОМУ

Ах, Эдуард, у Вас такое имя!
Оно к лицу любому королю!
Я на ТВ встречалась и с другими,
Но только Вас я истинно люблю!

Когда вошли Вы в гавань, словно крейсер,
Найдя свой путь без компаса и карт,
Со всей страной совпали интересы,
Все корабли к Вам в гавань, Эдуард!

Я не одна, за мной таких же тыщи,
Вы, Эдуард, наш идол, бог и культ!
Все по субботам с Вами встречи ищут,
Терзая нервно у экранов пульт.

О Вас, Успенский, толпы женщин бредят,
Команды ждут: — Внимание, на старт!
И побегут, вопя истошно: — Эдик!
И только я шепну Вам: — Эдуард!

Я зарычу разгневанным гепардом,
Потом взорвусь, как тысячи петард.
Вы только мне скажите слово: — Надо! —
И я на все готова, Эдуард!

Что ж, Эдуард, командуйте парадом,
И голос Ваш подхватит каждый бард.
Пусть вся страна поет за Эдуардом,
Мы все — матросы Ваши, Эдуард!

Я НЕ ЗОВУ ТЕБЯ НАЗАД

Хочу глаза закрыть. Хочу заснуть и не проснуться,
Забыть, как ты по лестнице сбегала торопливо.
Боялась оглянуться, оглянуться и вернуться,
Как будто никогда ты не была со мной счастливой.

Я не зову тебя назад,
Ты не услышишь то, что хочешь.
Твои неверные глаза
Недобрый знак бессонной ночи.

Я не зову тебя назад.
Недолгий наш роман окончен.
А налетевшая гроза
Дождем поставит многоточье.

Брожу я, как потерянный и что-то потерявший.
А вечер в окна ломится, холодный и дождливый.
Грущу я о тебе, моей судьбой так и не ставшей,
Как будто никогда ты не была со мной счастливой.

Молчит рояль заброшенный, и ты не тронешь клавиш,
С утра не намурлыкаешь знакомого мотива.
Ну кто бы мог подумать, что ты вдруг меня оставишь,
Как будто никогда ты не была со мной счастливой?!

310

ЭСТРАДА ПРОШЛЫХ ЛЕТ

В жизни перемены неизбежны,
Уплывают вдаль года.
Память возвращает с грустью нежной
Нам былое иногда.

Голубой квадратик КВНа,
Линзой увеличенный слегка.
Голоса забыто-незабвенно
Долетают к нам издалека.

Но сегодня нам не взять билет
На концерт эстрады прошлых лет.
И эстрадный звездный небосклон
Звездами другими заселен.

Но былое в сердце постучит,
И знакомый голос зазвучит,
И проложит память новый след
На концерт эстрады прошлых лет.

В старом парке ракушка эстрады
Нас тянула как магнит.
Тот, кто постоял с кумиром рядом,
Становился знаменит.

311

Шутки наизусть запоминали,
Голосам старались подражать.
Все про жизнь своих кумиров знали,
К дому их ходили провожать.

Но былое в сердце постучит,
И знакомый голос зазвучит,
И проложит память новый след
На концерт эстрады прошлых лет.

Я — модель моды для полных женщин. Дефиле в ГУМе

ПОЗАДИ ПЕЧАЛИ

Хочешь, мы с тобой уплывем
В голубые дали.
Хочешь, мы с собой не возьмем
Беды и печали.

Белый пароход прогудит,
Медленно отчалит.
Радости у нас впереди,
Позади печали.

Хочешь, мы с тобой улетим
К птицам в поднебесье.
Вместе будем слушать в пути
Звуки птичьих песен.

Пролетим снега и дожди,
Солнце повстречаем.
Радости у нас впереди,
Позади печали.

Хочешь, никуда не пойдем,
Телевизор включим.
Пусть плывут за нашим окном
В синем небе тучи.

Другу позвоним: — Заходи,
Вместе выпьем чаю.
Радости у нас впереди.
Позади печали.

ВЫЗОВ СТЮАРДЕССЫ

Был день как день — один из ста.
Сел в самолет, журнал листал.
Мне правила полета все известны.
Я пристегнул щелчком ремень,
Сидящий рядом джентльмен
Нажал на кнопку ВЫЗОВ СТЮАРДЕССЫ.

Она пришла, так хороша,
Что с места сдвинулась душа,
Упало сердце вдруг от перегрузки.
Ее глаза — скопленье тайн.
А джентльмен промолвил: — ФАЙН, —
А это значит — вы — красавица — по-русски.

Был удивительный полет,
Судьбы внезапный поворот.
Лицом счастливый случай повернулся.
Ведь я всего на три часа
Хотел попасть на небеса,
Но улетел в ее глаза и не вернулся.

Тут джентльмен словарь достал,
И три часа его листал,
А стюардесса говорит ему свободно,

С улыбкой, будто невзначай:
— Что, сэр, вам — кофе, или чай? —
На всех известных языках поочередно.

Над облаками синева,
А я молчу, забыв слова.
Тут объявили окончанье рейса.
Ей джентльмен сказал: — Сэнк ю.
А я вдруг вспомнил: — Ай лав ю.
И засмеялась, удаляясь, стюардесса.

КАПРИЗНАЯ

Капризная ты, ну просто беда,
Чего же ты хочешь, сама и не знаешь.
Поедем туда, не знаю куда —
Ты присказку эту всегда повторяешь.

Там хорошо, где нас с тобой нет,
Там дни длинней, а ночи короче.
Там ярче закат,
Нежнее рассвет,
Приедешь туда и обратно захочешь.

Характер я твой хочу изучить —
Чего же ты любишь, чего тебе надо.
Не в радость тебе и солнца лучи,
Летящему снегу ты тоже не рада.

Дорогу нам пусть укажет звезда,
Ковер-самолет возьмем в пункте проката.
И купим билет, не знаю куда,
Не знаю куда, но туда и обратно.

ЖОНГЛЕР

Чтоб я стал артистом, вся семья хотела.
Чтоб в кино снимался или в цирк пошел.
Что бы я ни делал, все из рук летело.
Так я стал жонглером, так себя нашел.

Я жонглер пока неловкий,
Не могу без тренировки.
Я бросаю пять тарелок,
Только три из них ловлю.
Занят день и занят вечер,
Нету времени на встречи,
Ну а ты не понимаешь,
Говоришь, что не люблю.

Я не видел лета, не заметил осень.
Вот зима настала. Скоро Новый год.
Я поймал тарелок меньше, чем подбросил.
Может, нет таланта: Может, не везет.

Смотришь ты сердито, а глаза смеются.
Может, показалось, ты сказала мне:
— Не лови тарелки, пусть на счастье бьются.
Мне жонглер неловкий нравится вполне.

319

У меня от Давида нет никаких секретов

Мой братик Валерий и его дочка Светлана —
моя любимая племянница

ТЕМНАЯ ЛОШАДКА

Словно в синем ясном небе грянул гром,
Растревожен и взволнован ипподром.
На трибунах разговоры и проигранные споры.
Удивились знатоки —
Обошли их рысаки.

Все бы было гладко,
Как всегда, но вот
Темная лошадка
Вырвалась вперед.
Темная лошадка —
Чей-то слабый шанс,
Темная лошадка —
Чей-то звездный час.

Будто кто-то рой пчелиный разбудил —
Эй, смотрите, кто там скачет впереди?
Обойти посмел маститых, именитых, знаменитых.
Нет, он первым не придет,
По дороге упадет.

Если ты в себе почувствовал азарт,
Никого не бойся, выходи на старт.
Знай, победа нелегка.
Слышишь голос знатока?!!!

ДЕВЧОНКА И МАЛЬЧОНКА

Вот уже который год
Не фартит и не везет.
Стала жизнь безрадостной и темной.
И дожди идут длинней,
И все меньше теплых дней.
Хочется на все махнуть рукой, но вспомни,

Вспомни, как был ты худеньким мальчонкой,
Вспомни, как была ты милою девчонкой.
Санки катились с ледяной горы.
Разве изменились правила игры?
Ты все такой же худенький мальчонка,
Ты все такая ж милая девчонка.
И хоть изменились правила игры,

Так же мчатся санки с ледяной горы.
Встанешь ты не с той ноги,
Снова мучают долги,
И ни с места воз проблем огромный.
Вес и возраст позабудь,
Собираясь в дальний путь,
И, как в детстве, улыбнись, и вспомни…

ГРОМ НЕБЕСНЫЙ

Был вечер к десяти,
И не было такси,
И сильная гроза,
И ты, промокшая насквозь.
Спросил я, — Подвезти? —
Сказала — Подвези!
И встретились глаза,
И все внутри оборвалось.

Откуда ты взялась?
Влетела, ворвалась.
Притронулась рукой
И сразу стала мне родной.
Меня на помощь звал
И тайну открывал
Негромкий голос твой
И этот разговор ночной.

Куда часы спешат?
Тебе пора бежать,
И лужи отражают уходящую тебя.
Дождь катится с плаща,

Любимая, прощай,
Прощай, моя судьба.
Не исчезай, моя судьба!

Гром небесный, вещий голос,
Знак такой зовут судьбой.
Просто небо раскололось
Надо мною, над тобой.
Гром небесный, вещий голос
Прокатился стороной,
Просто небо раскололось
Над тобой и надо мной.

САД ВЕЧЕРНИЙ

Как пряно пахнет сад вечерний
Настенным выдохом цветов.
Мы разговор ведем никчемный
Из опоздавших горьких слов.

Струится легкая прохлада,
Предполагая дождь к утру,
И этот горький выдох сада
Уже развеян на ветру.

Какие странные сравненья!
Причем здесь дождь и разговор,
Уснувший сад, деревьев тени —
Все так и было до сих пор.

Но кто-то в дом захлопнул двери,
Унес ключи, забыл про нас.
И пряно пахнет сад вечерний
Для нас с тобой в последний раз.

ВАСИЛИСА

Ты — Василиса Прекрасная,
Понял я с первого взгляда.
Ты, Василиса, опасная,
Так, Василиса, не надо.

Зря ты, Василиса, так веселишься,
Ой, не туда ты заехала.
Сердцем расколотым
Чувствую холод я,
Тут, Василиса, до смеха ли?

Яблонька к маю распустится
Белая, словно невеста.
Ты, Василиса, распутница,
Рядом с тобой мне не место.

Зря, Василиса, ты злишься и злишься,
Топаешь ножкой рассерженно.
Знай, не железный я,
Гнев не полезен мне,
Может, встречаться пореже нам?

Зря ты, девка, треплешь нервы,
То мне свет с тобой, то мрак.
То шепнешь: — Иван-Царевич,
То кричишь: — Иван-дурак!

327

КИКИМОРА БОЛОТНАЯ

Я в детство оглянусь, а там
Всегда погода летная.
За мной ходила по пятам
Кикимора болотная.

Весь класс ее так называл,
Кому ж такие нравятся,
Я даже не подозревал,
Что станет вдруг красавицей.

Ну что ты вспомнила сейчас
Свое смешное прозвище?
Ведь детство кончилось у нас
И улетело в прошлое.

Обиды детские таят
Твои глаза горючие.
Ты горько смотришь на меня
И этим взглядом мучаешь.

Кикимора болотная,
Ну где же ты была?
Кикимора болотная,
Опять нас жизнь свела,

Ты — птица перелетная
От холода к теплу.
Кикимора болотная,
Я так тебя люблю!

РУСЬ, СПАСИБО ТЕБЕ!

Истоки — начало всех рек,
От корня растенье родится.
А если рожден на Руси человек,
То Русью он может гордиться.

Народностей много живет
В стране под названьем Россия.
Но вместе мы — русские, русский народ,
И в том наша главная сила.

Смиренно спит русский погост,
Мы предков своих не забудем.
Но лики счастливые утренних звезд
Пусть светят сегодняшним людям.

Нам кто-то не верит, и пусть!
Мы за руки крепко возьмемся,
Поверь в наши силы, Великая Русь,
И мы к лучшей жизни прорвемся!

Русь, спасибо за то, что на свете ты есть!
Русь, спасибо, что родились мы здесь!
Пусть всегда на Руси старикам и молодым
Будет сладок отечества дым!

330

КОВАРСТВО И ЛЮБОВЬ

Сводя с ума уснувший сад,
Цвели полночные левкои.
Иду наощупь, наугад
Туда, где были мы с тобою.

Туда, где все тобой дышало
В недолгих наших нежных днях,
Ничто беды не предвещало,
И не печалило меня.

В мой край волшебных снов ворвались злые тучи,
Опали лепестки причудливых цветов,
Коварство и любовь так часто неразлучны,
Коварство и любовь, коварство и любовь.

Я знаю, некого винить
За ту минуту отрешенья.
Судьбы причудливая нить
Оборвалась при натяженье.

О, как я болен был тобою,
Об этом я не ведал сам.
Пусть расплачусь за это болью,
Я благодарен небесам.

ПУСТЫЕ ХЛОПОТЫ

Помню — ветер гнул сирень в аллее.
Произнес ты горькие слова.
Я еще сказала — пожалеешь.
Вот и оказалась я права.

Помню, как проплакала я ночью,
Представляя, как там ты с другой.
Ты теперь вернуть былое хочешь?
Это невозможно, дорогой!

Пустые хлопоты, пустые, мой хороший.
Пустые хлопоты, ты тратишь время зря.
Пустые хлопоты, цена им — медный грошик,
Не расцветет сирень в начале января.

Помню, как сидели мы с подружкой
И решали, как мне дальше жить.
Но судьба умеет как разрушить,
Так и из кусочков все сложить.

Помню, ветер дул такой холодный,
Я с другим согрелась в холода.
Ты сказал, что хочешь быть свободным?
Ты теперь свободен навсегда!

СУДЬБА ТАКАЯ

У кого какое счастье —
Кто-то водит корабли,
Я судьбою очень часто
Отрываюсь от земли.

Не везет на самолеты —
Ни на ИЛы, ни на ТУ.
Вечно летную погоду
Жду я в аэропорту.

У меня судьба такая,
Улетаю, прилетаю.
Что поделаешь? — работа
На ходу и на бегу.
Ты к разлуке привыкаешь —
У тебя судьба такая.
От тебя я отрываюсь,
Оторваться не могу.

Сыпал снег с утра немножко,
Ничего не предвещал.
Мы с тобою на дорожку
Посидели на вещах.

Ты сказала — вот везучий,
Полетишь сейчас в тепло.
Через час собрались тучи,
Мне опять не повезло.

Ты сказала: — Понимаешь, —
Улыбнулась, чуть дразня. —
Слишком часто ты летаешь,
Но все время без меня

Взять тебя с собой решил я,
Мчит такси в аэропорт…
По пути спустилась шина,
Улетел наш самолет.

СКАЖИ МНЕ НЕЖНЫЕ СЛОВА

Не спеши, время полночь,
Час разлук, час тревог.
Ты приди мне на помощь,
Без тепла я продрог.

Мы с тобой не чужие,
Мы друг другу нужны.
Сделай так, чтоб ожили
Наши прежние сны.

Скажи мне нежные слова,
Не отводи любимых глаз,
Скажи мне нежные слова,
Они мне так нужны сейчас.

Скажи мне нежные слова,
Как в те растаявшие дни,
Скажи мне нежные слова,
Любовь забытую верни.

Ты верни мне то лето
И росу на лугу.
Ты верни осень с ветром,
Ты верни сад в снегу.

335

Ты усни снова рядом,
Снова рядом усни.
Ничего мне не надо,
Ты себя мне верни.

МОНА ЛИЗА

В давно ушедшие века
Творила мастера рука —
Водила кистью по холсту,
Дарила людям красоту.

Был, может, солнцем день пронизан,
А может, дождь унылый лил,
Когда улыбку Моны Лизы
Он человечеству дарил.

Мона Лиза, вечности портрет,
Мона Лиза, в чем же твой секрет?
Мона Лиза, тают времена,
Тайну знаешь ты одна.

Наутро выпал первый снег,
И улыбнулась ты во сне,
Забыв заботы и дела,
Как будто что-то поняла.

А может, мастер в давней жизни
И в неразгаданной судьбе
Писал улыбку Моны Лизы
И молча думал о тебе?

Топ-модель — для тех, у кого за 80... (кг)

Топ-модель

ПУРГА

Мы с тобой оба стали другими,
Как же это случилось, скажи?
Посмотрела глазами чужими,
Закипев водопадами лжи.

Ты такой никогда не бывала,
Понимала — я занят, дела.
Обнимала меня, целовала,
И ждала, каждый вечер ждала.

Я понять не могу —
Что ты гонишь пургу,
Жизнь мою погружая во мрак.
Но не враг я, ты слышишь — не враг.

Я привык, ты была моей тенью,
Забывал, что ты часто одна.
Переполнилась чаша терпенья,
Я-то думал, что чаша без дна.

Ангел мой, как ты с демоном схожа!
Ты в слезах указала на дверь.
Может быть, я не самый хороший,
Но не самый плохой, ты поверь.

КАСАБЛАНКА

Знойный город Касабланка,
Где горячий ветер дует,
И девчонка-марокканка
До утра всю ночь танцует.

Я кофейным взглядом жарким
Опьянен и околдован.
Прилечу я в Касабланку,
Чтоб ее увидеть снова

Атлантический мой сон!
Песков Сахары жаркий сон.
И губ горячих сладкий стон,
Атлантический мой сон.

Обжигает сердце пламя,
Подари мне ночь, богиня.
Протяни ты мне губами
Сладкий ломтик апельсина.

Африканской страсти чудо.
Ты, как сладкая приманка.
Никогда я не забуду
Знойный город Касабланка!

341

НОЧНАЯ ФИАЛКА

Хочу забыть и не могу
Тот миг сгорающего лета,
Где на фиалковом лугу
Вдруг о любви сказала мне ты.

И был в глазах твоих испуг,
Качнулось небо с облаками.
И знал фиалок полный луг
О том, что было между нами.

Ночная фиалка, ночная фиалка,
Вся жизнь — череда расставаний и встреч.
Ночная фиалка, ночная фиалка,
Тебя я сорвал, но не смог уберечь.

Смотрю ночами грустный сон
О фиолетовых фиалках.
Уже не сможет сбыться он,
И просыпаться утром жалко.

Хочу забыть и не могу,
Как ты меня в ту ночь любила.
Я от себя бегу, бегу,
Но убежать не хватит силы.

342

ОСТОРОЖНО, ЖЕНЩИНЫ!

Все подряд говорят,
Что я нехороший.
Уведу, украду,
Опьяню и брошу.

Ночь шатром, бес в ребро —
Я лечу, как птица.
Жму на газ, в гонках ас,
Что со мной случится?

У меня есть одна
Скверная привычка —
Никогда не отдам
Я свою добычу.

Что хочу, получу —
Вот закон железный.
И учить меня жить
Просто бесполезно.

Осторожно, женщины!
Я — ночной охотник.
Осторожно, женщины,
Счет веду на сотни.

343

Осторожно, женщины,
Ждет вас сладкий грех.
Осторожно, женщины,
Я люблю вас всех!!!

ВАЛЬС ХРУСТАЛЬНЫХ КОЛОКОЛЬЧИКОВ

Колокольчик хрустальный замрет,
И рассыплется звоном хрустальным.
Новый год, Новый год, Новый год
Заискрится шампанским в бокале!

И, как в детском несбыточном сне,
Вдруг прошепчут желание губы.
В тишине, в тишине, в тишине
Грянут ангелов вещие трубы.

Колокольчиков хрустальных миллион
Диги-дон, диги-дон, диги-дон!
Колокольчик волшебный перезвон —
Диги-дон, диги-дон, диги-дон.
Этот звон хрустальный нежный,
Звон удачи, звон надежды,
Нам подарит счастье он.

В небе месяц хрустальный плывет,
Заблудился в серебряных звездах.
Новый год, Новый год, Новый год!
Все сначала начать нам не поздно.

345

Только нежность в душе сохраним,
Позабудем былые печали.
Так звени же, звени же, звени,
Колокольчик надежды хрустальный!

ИРИНЕ АЛЛЕГРОВОЙ

Я вам пишу, моя любимая певица,
Короче, Ира, дальше буду я на ты.
Мне на концерт к тебе сегодня не пробиться,
Тебе отдаст Лариса почту и цветы.

Таких, как я, у нас, Ирунчик, пол-России,
И все хотят с тобой по-бабьи поболтать.
И вот сегодня мы Ларису попросили
От всех, от нас тебе спасибо передать.

Тебе, конечно, хорошо — ты вон, на сцене,
Да и по телеку мелькаешь без конца,
А нас судьба послала всех к едрене фене,
Забыв, что есть у нас и души, и сердца.

Вот, ты поешь, что, дескать, все мы бабы — стервы,
Нет, Ир, не стервами родились мы на свет.
Но эти гады так всю жизнь нам трепят нервы,
Что заслужили только подлости в ответ.

А ты счастливая — ведь стала ты певицей,
Я б тоже пела, но от жизни все молчу.
Я б не смогла, как ты, сыграть императрицу,
А так же бабушку по имени Хочу.

347

Но, знаешь, Ирка, чем-то мы с тобой похожи —
Ведь у меня был тоже младший лейтенант.
Я б про него, наверно, спела песню тоже,
Но где ж мне взять твое искусство и талант?

Под фотографией, что девять на двенадцать,
Стоит ночами мной проплаканный диван,
И за угонщицей его мне не угнаться,
Ты поняла про неоконченный роман?

Меня, Аллегрова, ты голосом задела,
И слову каждому я верю твоему.
Эх, Ирка, мне б твою походку, грудь и тело,
Тогда б дала я жизни гаду моему!

Ты представляешь — как-то раз сижу я в ванне,
А он вдруг как на всю квартиру заорет
— Эй, вылезай, быстрей смотри — вон на экране
Твоя любимая Виагрова поет.

Откуда слово это знает, гад ползучий?
Бегу вся в мыле я, полтела не домыв,
А на экране ты рукой разводишь тучи,
Зеленоглазого бандита полюбив.

Потом гостила в чьей-то жизни ты транзитом,
И налетели в твою душу сквозняки.
А я шесть лет уже страдаю с паразитом,
То ничего, а то хоть из дому беги.

Что человек кузнец, я слышала так часто,
И сам себе он все, что хочет, накует.
Я начала ковать немедленное счастье,
Стучало сердце гулким молотом мое.

Я в парикмахерский салон пошла с картинкой,
Ты в полный рост там, а коленки на виду.
— Пока не стану, как Аллегрова, блондинкой, —
Сказала мастеру я строго — не уйду!

Подшила юбку, чтоб коленки стало видно,
Купила клипсы голубые, под глаза,
И так за жизнь свою мне сделалось обидно,
Что покатилась, тушь размазавши, слеза.

У нас все бабы на работе прибалдели
При виде этой невозможной красоты.
Одна сказала — мы концерт вчера глядели,
Так вот Аллегрова — прям вылитая ты.

Так кто сказал, что в нашей жизни счастья нету?
Тому б сказала я, куда ему идти.
Вот я вчера твою послушала кассету,
И потекло тепло по сердцу и в груди.

Ты знаешь, Ира, в жизни все не так уж страшно —
Чего бы не было — ведь ты же есть у нас.
Так про любовь поешь, красавица ты наша,
Что все плохое забывает женский класс.

Теперь сама к тебе я с просьбой обращаюсь —
Пой песни, Ирочка, с хорошею судьбой.
И чтобы в них всегда все хорошо кончалось,
Ведь в чем-то все же, мы похожие с тобой.

На этом, Ира, я письмо писать кончаю.
Концерт увижу твой, проплачу до утра.
Ведь я, Аллегрова, души в тебе не чаю,
Тебе желаю сердцем всякого добра.

СТИХИйная
КУЛИНАРИЯ
ИЛИ КУЛИНАРНАЯ
СТИХИя
ЛАРИСЫ
РУБАЛЬСКОЙ

Мне все по зубам

Как-то так получается, что время от времени строчки моих некоторых песенок оживают и заглядывают в мою жизнь, как бы сбываясь.

Может быть, я владею каким-нибудь сверхчувством? Бывают же ясновидящие. А я — ясночувствующая.

Иногда, ложась спать, я, дотрагиваясь головой до подушки, ясно чувствую следующий день. Ну, конечно, не детали, ничего не значащие, а основные важные моменты. Эти ощущения помогают мне, диктуя — что нужно сделать, а что не принесет ничего хорошего.

И строчки стихов пишутся порой сами собой и сами собой тянут из мрака на свет.

Есть еще одна особенность у моей левой ладошки. Она какая-то целебная. Не от боли и болезни организма, этого я не проверяла. Но от печалей сердца и души. Это проверено.

Я рассказываю про ладошку во время моих выступлений и уже многие об этом знают. И просят подержаться за левую руку, и говорят, что облегчение наступает мгновенно. И я очень этому рада.

Но в последнее время меня стали останавливать на улицах совсем по другому поводу.

Иду я, например, к минеральному источнику в Карловых Варах, а меня вдруг догоняет тетенька и с сильным акцентом просит рассказать, как я делаю красную капусту. Оказывается, она наша бывшая гражданочка, уже давно живет в Канаде, и там, по телевизору, слышала, как я про эту капусту рассказывала, а записать не успела.

И таких примеров очень много, и все чаще меня зовут на ТВ участвовать в разных кулинарных передачах.

Я это очень люблю и хожу с удовольствием.

И подумала я недавно, что надо и мне написать свою кулинарную книгу. Я давно живу на свете, и жила по-разному.

Поэтому умею готовить чудесные блюда и исходя из бюджета бедняка, и из бюджета богача.

Ну что ж, значит — вперед. Самое главное — придумать название, чтоб было ясно, что повар, кулинар, все-таки и стихи сочиняет. И вот только я об этом подумала, как часы пробили время — ночь. И притронулась я головой к подушке, и перед глазами появилась обложка этой самой будущей книжки, а на ней уже готовое название —

«Кулинарная СТИХИя или СТИХИйная кулинария Ларисы Рубальской».

Мне понравилось. Осталось полистать книжонку памяти и вспомнить, чем я потчевала в юности своих потенциальных женихов, чем кормлю своего строгого

мужа, чем угощаю своих добрых знатных и незнатных гостей.

Ну, что ж? Поехали.

Та самая красная капуста.

Сразу предупреждаю, что мне всю жизнь некогда, поэтому я все делаю торопливо, может быть, вопреки правилам. Но получается вкусно.

Испытайте на себе.

Режу капусту — как попало — 1 кочан. Чеснок — по возможности — 1 головку. Морковь тру — штуки 2 — 3. Свеклу тру — столько же, сколько моркови.

Сразу мою терку, ножик, доску — они уже не понадобятся. А готовить приятно, когда вокруг чисто.

Дальше — наливаю в кастрюльку 3 стакана воды, 1 стакан подсолнечного масла (без запаха), 1 стакан сахарного песку, 1 стакан столового уксуса, 2 ложки соли.

Все вместе нужно прокипятить, а я за это время кладу в 3-литровую банку все, что порезала и натерла — вперемешку, как попало. А потом, как заливка закипит, переливаю ее в эту банку.

Если неохота возиться с банкой, можно потом заливку снять с огня и все порезанное

и потертое положить прямо туда. Поставить в холодок, а дня через 3 постараться не съесть все за один присест. Потому что оторваться трудно.

Но это еще не все. Когда вся капуста будет съедена, можно оставшийся рассол снова закипятить, попробовать и добавить, если чего-то не хватает, и потом в него опять нарезать и потереть всего, как в первый раз. И опять на 3 дня в холодок.

И так можно повторять 3 — 4 раза.

А я всей ентой хитрости научилась, когда была в Китае. И там в посольстве наши очень скучают по России и изобретают всякую еду, напоминающую то, что они ели дома. Меня учили все это делать по науке, а я забыла, допридумала сама и еще ускорила процесс приготовления.

Ешьте и радуйтесь!

•

Как быстро все меняется! Сидим мы как-то с дружками, рассуждаем, как были юными и счастливыми, ездили в Прибалтику, ставили палатки, готовили что попало из того, что вокруг растет и в озере плещется.

И решила я эти воспоминания усилить и приготовить суп такой же, как тогда, в лесных условиях. Может, это только в молодости все кажется вкусным? Ну

и сварила, и отодвинули мои дружки все остальные яства, и съели этот суп подчистую. И оказалось, что и сейчас вкусно. А может, просто мы все еще молодые? Или, сказать по-другому — мы не старые. Нам просто много лет.

Попробуйте:

Луковицу, морковку — порезать, обжарить. 2 картошки порезать соломкой. Гречневой крупы — 2 кулака. И соль.

Все — в кастрюльку. А сковородку из-под жареного лука с морковкой — под кран, и смыть в ту же кастрюльку. Как картошка и гречка станут готовыми — по тарелкам и с черным хлебушком. Очень-очень вкусно и никакого вреда.

Кстати, и продукты эти всем по карману, и суп по таланту.

Да, чуть не забыла, если все это происходит летом — то в супе никакая зелень не помешает.

●

У меня есть страшное свойство — я не люблю вспоминать. Мне кажется, что прошлое, оно прошлое и есть. Правда, если копнуть, я помню все и всех — кто, когда, в чем был одет, кто что сказал и так далее.

Но эмоциональной памяти у меня нет.

357

Я не могу сентиментально расплакаться, вспоминая какого-нибудь школьного учителя, или тихо загрустить, рассказывая о своей первой безответной любви.

Но некоторые вещи застревают в моей голове и приносят большую пользу.

За время моей работы переводчицей мимо меня прошло очень много японцев. Кто-то бесследно, кто-то остался в сердце навсегда.

Среди моих японских друзей есть главный друг, вернее, подруга. Ее зовут Мидори Кавасима, она по-русски говорит замечательно. Вообще она японка по недоразумению, потому что по сути и душе — россиянка. Много лет она работала импресарио с японской стороны с Маэстро — Рихтером, Мравинским. И написала о годах дружбы с ними книги. И еще она очень интересуется русской историей, написала книгу о царствовании женщин в России. Вот такой уникум. Я от нее очень многое узнала — как справиться с депрессией и одиночеством, как выходить из безвыходных ситуаций. А вот еще одна премудрость, имеющая прямое отношение к моим кулинарным раздумьям.

Как-то мы с мужем сидели на кухоньке Мидори в маленьком красивом домике на окраине Токио. Вокруг стояли гжельские и хохломские плошки, в рядок дули щеки бабы на чайник. Одним словом — изба. Так Мидори и называет свое жилье. Мы ели что-то очень вкусное, и я попросила рецептик. А Мидори сказала — все годится для всего. Просто она все мешает руками и про-

бует. А потом сама придумает хитрое название своему изобретению.

Сама Мидори очень любит гостей, а все свои кулинарные выдумки преподносит друзьям-японцам как блюда русской кухни.

Усвоила я Мидорину мудрость и следую ее совету.

Назовем следующий изыск, например, так — «Гранатовый иней». Нет, иней белый, а гранаты бордовые. Назовем лучше так — «Пурпурный десерт». Да, хорошо пожалуй.

Итак:

Свеклу (2 — 3) варим, трем на терку. Ананас (из баночки — резаный) — жидкость сливаем. Хрен (да, не удивляйтесь) — 2 — 3 ложки. Майонез — немножко, чтоб не отбить вкус у остальных продуктов. Гранат — зерна одного плода.

Все смешиваем. Солить не надо — это же десерт. Для остроты хватит хрена.

Кстати, если до получки далеко (в смысле граната и ананаса), то вместо них — какое-нибудь кислое варенье. Вот и все.

А хотите, еще чего-нибудь добавьте от себя и измените название. Например — «Ананасная хитрость». Или еще как-нибудь. И вспомните меня.

Ну вот пока хватит, мои дорогие. А потом вы возьмете уже готовую мою кулинарную книгу и еще многое узнаете.

Ой, чуть не забыла самое главное. Побольше сердечности и добрых чувств, когда готовите. Это передается тому, кто будет есть.

А я пошла что-нибудь изобретать дальше. Скоро муж с работы придет. А соловья, как известно, баснями не кормят.

В МИРЕ
МУДРЫХ
МЫСЛЕЙ

За решеткой — Красная площадь

Все запутались — какой же год считать первым в двадцать первом веке?

Кто б ни оказался прав, но годом раньше, годом позже, мы все начнем говорить — ...А вот в прошлом веке... Главная часть моей жизни — в прошлом веке...

Меня попросили написать Новогодний вальс. Я написала в нем такие строчки:

> И пусть в двадцать первом столетье
> Всегда побеждает добро.
> Пусть кто-то отыщет любовь в Интернете,
> А кто-то, как раньше, в метро.

Я-то, конечно, на метро надеюсь больше. Все-таки любовь с первого взгляда как-то естественней, чем любовь с первого WWW.LOVE/RU. А может, я не права. Мне одна знакомая девочка сказала как-то: — Если ОН ездит в метро, значит, у него нет денег даже на машину, а если ОН обозначается в Интернете, значит, крутой.

А мне до сих пор кажется, что нет острее ощущения, чем первый взгляд, первое прикосновение, предчувствие любви. И не мне одной так кажется.

Я выхожу каждый день на улицу — гулять ли с

Фенькой, в магазин ли — все равно — куда, и знаю, что ко мне обязательно подойдет какая-нибудь женщина, и еще одна история будет рассказана, еще один вопрос будет искать у меня ответа. Со мной почему-то часто начинают разговаривать совершенно посторонние женщины, и не просто разговаривать, а просто выворачивать наизнанку свою душу. И уже минут через двадцать я знаю в подробностях непростую историю каждой из них.

Конечно, что-то посоветовать и разгадать я могу — слава богу, жизненный опыт есть.

Но меня удивляет доверчивость этих женщин. Иногда я думаю: — Наверно, мы с ней знакомы, просто я забыла. И однажды, прервав очередную исповедь, я осторожно спросила:

— Простите, а где мы с вами виделись?

А женщина удивилась:

— Как где? А по телевизору?

Больше я не спрашиваю. Слушаю, сочувствую, советую. Когда-то в школьном сочинении я писала, что самый лучший литературный герой на свете — горьковский Лука. Ну и что, что лукавит? Главное — утешает. И мои любимые строчки из Бернса (Беранже?) —

> Честь безумцу, который навеет
> Человечеству сон золотой.

Я сама в душе — Лука. И этот безумец с золотым сном. И пусть не всегда сбываются мои утешительные прогнозы, все равно, хоть немножко они успокаивают

364

страдающие души. Недавно на одном концерте администратор меня спросил — Лариса, а можно пустить одну женщину без билета? Она говорит, душа устала, а вылечить ее может только твой голос.

Конечно, пустить! Если даже на 40 — 50 минут моего выступления хоть одна душа посветлеет, я счастлива. Кстати, насчет голоса — мне часто говорят, что в нем есть какая-то магия. Я не понимаю — просто хрипловатый и совсем не мелодичный голос. А вообще-то к моим рукам прилипают всякие предметы. А к сердцу притягиваются люди. Может быть, правда, магия?

Как-то недавно я выступала перед женской аудиторией — читала стихи, рассказывала истории — все, как всегда. И захотелось мне почитать начатое новое стихотворение. Я успела немного написать, и притормозила, не зная, как развить действие дальше. Написанное звучало так:

> По стеклу стучались ветки —
> Признак ветреного дня.
> Он пришел к моей соседке
> И остался у меня.
>
> Как все было, не расскажешь,
> Я запуталась сама.
> Дом у нас многоэтажный,
> Одиноких женщин тьма.

Мы друг к другу ходим часто,
Ведь идти недалеко,
Поболтать о женском счастье
Под чаёк да под пивко.

Жизнь у бабы не конфетка,
А компот из мышьяка.
Тут одна моя соседка
Подхватила мужика.

Целый вечер тарахтела —
Что сказал да как одет.
Что с таким она хотела
Повстречаться много лет,

Что зовут его Володя,
Что на «Соколе» живет,
Что он третий год в разводе,
И что в среду к ней придет...

Прочитала я эти строчки, а потом честно сказала:
— Не знаю, что писать дальше. Посоветуйте.
Что тут началось! Женщины активно включились и начали предлагать:

— Пусть ходит к обеим! Но чтоб ни одна об этом не догадалась. Обе хоть счастья попробуют.

366

*Книжки для маленьких, которые когда-нибудь
обязательно станут взрослыми*

— Да куда ему две бабы? У него, простого инженеришки, на двоих денег не хватит — даже конфет и бутылку принести!

— А с чего это ты взяла, что он инженер?

— А с того, что Володька этот и ко мне ходил. И правильно, что первая от него к матери сбежала. Пить надо меньше!

— Не пьет он! И вообще не инженер, а начальник отдела. А первая его — сама не сахар. Кстати, он сейчас с «Сокола» в Чертаново переехал. У него там однокомнатная, а на «Соколе» эта осталась.

— Знаешь что, пусть этот гад вообще им головы не морочит. А то они понадеются, а он дальше пойдет, еще этажом выше.

— А я тут мужской шарфик видела, так купить хотелось! А кому? Пусть бы такой Володя ко мне хоть иногда приходил! Мне же много не надо, было бы кому на 23 февраля подарки делать. Я бы его называла Вольдемар!

— На хрена они нужны! Подарки им делать! Лучше себе что-нибудь купить. Вот я с одним в Сочи сфотографировалась, и он карточку надписал — От любящего Петра. А потом смотался, а я узнала, что его звали вообще не Петр, а Тимофей Игоревич. Вот так. Но карточку иногда смотрю — все-таки любящий.

— Короче, Лариса, ты придумай сама, но обязательно так, чтоб мы, бабы, все-таки счастливыми были.

А я стояла и думала: — Дорогие вы мои! Если бы какой-нибудь режиссер снял все это скрытой камерой! Какое бы это было кино! Не оторваться!

В конце концов я пообещала всем спорщицам дописать эту «поэму» и учесть все, что они предложили.

И оставила я все, как есть — на многоточии. Пусть соседки сами с этим разведенным Володей разбираются. Мне так больше нравится.

Между прочим у меня есть старая книжка — «В мире мудрых мыслей». Иногда читаю я и думаю — как все быстро устаревает, и многие когда-то мудрые мысли к нашей жизни уже не подходят. А я бы вставила туда одну свою «мудрую» мысль — она точно не устареет никогда.

А произнесла я вслух эту мысль случайно, отвечая на вопрос одной журналистки: «В чем счастье?» На

свой «оригинальный» вопрос она ждала оригинального ответа.

А я сказала слова, которые ее разочаровали. Журналистка считала, что если я пишу стихи, то мысли мои должны быть исключительно возвышенными. А ответ, он же «мудрая мысль», был таким:

СЧАСТЬЕ — ЭТО КОГДА ЕСТЬ КОГО КОРМИТЬ И ЧЕМ КОРМИТЬ.

Я так думаю. И всем этого желаю.

КАКОЕ СЧАСТЬЕ!

Какое счастье быть с тобою в ссоре.
От всех забот взять отпуск дня на два,
Свободной птицей в голубом просторе
Парить, забыв обидные слова!

Какое счастье, на часы не глядя,
В кафе с подружкой кофе пить, болтать,
И на тебя эмоции не тратить,
И вообще тебя не вспоминать!

Какое счастье, как бывало раньше,
Поймать глазами чей-то взгляд в толпе,
И, замирая, ждать, что будет дальше,
И ничего не объяснять тебе!

Какое счастье, смазать чуть помаду,
И на углу купить себе цветы.
Ревнуй, Отелло, так тебе и надо,
Все это сам себе устроил ты!

Какое счастье — сесть в троллейбус поздний
И плыть неспешно улицей ночной,
И за окном увидеть в небе звезды,
И вдруг понять, как плохо быть одной!

Какое счастье поздно возвратиться,
Увидев свет, знать — дома кто-то есть,
И выйдешь ты, и скажешь — хватит злиться,
Я так устал, дай что-нибудь поесть!

СОДЕРЖАНИЕ

375

376

Я ВСПОМНИЛ ВСЕ

379

СИРЕНЕВЫЙ ТУМАН
(Только новые стихи)

**СТИХИйная кулинария, или кулинарная
СТИХИя Ларисы Рубальской**

В МИРЕ МУДРЫХ МЫСЛЕЙ

Литературно-художественное издание

Рубальская Лариса Алексеевна

ПРИЗНАНИЕ В ЛЮБВИ

Ответственный редактор *В. Жукова*
Художественный редактор *И. Новиков*
Технический редактор *В. Бардышева*
Компьютерная обработка оформления *И. Новикова*
Компьютерная верстка *Е. Кумшаева*
Корректор *О. Благова*

ООО «Издательство «Эксмо»
127299, Москва, ул. Клары Цеткин, д. 18, корп. 5.
Тел.: 411-68-86, 956-39-21. **Интернет/Home page — www.eksmo.ru**
Электронная почта (E-mail) — **info@ eksmo.ru**

Подписано в печать с готовых монтажей 25.03.2004.
Формат 70×108 $^1/_{32}$. Гарнитура «Петербург». Печать офсетная.
Бум. тип. Усл. печ. л. 16,8.
Доп. тираж 7100 экз. Заказ № 2752

Отпечатано в полном соответствии
с качеством предоставленных диапозитивов
в ОАО «Можайский полиграфический комбинат».
143200, г. Можайск, ул. Мира, 93.